あなたが、

「料理力」をつければ、脳力もアップして、老けない。

料理をすることで前頭葉が鍛えられ、脳のトレーニングになることが実証されています。
特にこれまで料理をしたことのない人ほど、新たにチャレンジすることで、脳は活発に！

今よりもっと

「料理力」をつければ、問題を解決する力がついて、成功する。

レシピに書いてある材料がないとき、さてどうする？　料理力が高い人なら、知恵とくふうでおいしい料理を完成させます。ピンチをチャンスにして成功を手に入れる力につながります。

人生を

「料理力」をつければ、「もったいない」力が磨かれて、自然にお金が貯まる。

料理力がつくと、安くておいしい旬の食材を選ぶ目が養われます。
また、予算内で料理を作ることはもちろん、材料を無駄にしない・捨てない技術が磨かれます。

愉しみたいならば、

「料理力」をつければ、医食同源の食事ができて、健康になる。

料理力が高い人は、自然と栄養バランスのとれた、おいしい食事を作ります。
当然、心身ともに健康で、若々しい。

料理をしよう。

「料理力」をつければ、人生の主人公になれる。

自分が食べたいものを、食べたいときに、自分で作れる。
料理力とは、自立して生きる力の源でもあるのです。

目次

001 あなたが、今よりもっと人生を愉しみたいならば、料理をしよう。
004 「料理力」がぐんぐんついてくる本
005 この本でめざす「料理力」とは?
006 この本の使い方
008 「料理力」検定問題と解答
016 結果は?「料理力」診断カルテを作ろう。
066 料理力UPコラム 1 段どり力を高めるためには?
146 料理力UPコラム 2 応用力を高めるためには?
190 料理力UPコラム 3 献立力を高めるには?
226 調理用語索引
227 食品索引

お料理一年生のための、調理の素朴なギモン

031 少量のだしが必要なとき
032 緑の野菜を色よくゆでるコツ
038 アボカドの切り方
065 味見のコツ
075 肉を香ばしく、上手に焼くコツ
083 ゆで卵の殻をきれいにむくコツ
095 ぶりの鍋照りをきれいに焼くコツ
095 切り身魚を盛りつけるときのきまり
111 おいしくごはんを炊くポイント
133 みそ汁の基本
144 素材を切るときの長さのめやすは?
166 揚げ油の適量ってどれだけ?

難易度★

ささっと作れる、酒の肴・小鉢もの

018 湯どうふ
022 たたききゅうりの酢のもの
025 たたききゅうりの中華ピリ辛漬け
026 枝豆の塩ゆで
029 枝豆ごはん・枝豆の甘辛煮
030 ほうれんそうのごまあえ
034 みず菜と油揚げの煮びたし
038 まぐろとアボカドのやまかけ
041 まぐろとアボカドのタルタル風
042 あさりの酒蒸し
045 あさりのぺぺロンチーニ
046 なすのじゃこぽん酢かけ
050 かぼちゃの煮もの
054 きんぴらごぼう
058 ほたてと野菜のホイル焼き
062 ささみとえのきのレンジ蒸し 梅じょうゆ添え

難易度★★

毎日のごはんに困らない、定番

068 ベーコンエッグと野菜いため
072 豚のしょうが焼き
076 かんたんチキングラタン
080 ポテトサラダ
084 肉じゃが
088 さばのみそ煮
092 ぶりの鍋照り
096 さんまの塩焼き
100 さけのムニエル

捨てる部分・残りもので作る、始末力UPの料理

041 アボカドディップ
107 とりの皮焼き
120 カレーうどん
137 こんぶの当座煮
138 残り野菜のミネストローネ
154 卵スープ
189 野菜のいかわた焼き

「料理の基本のキ」

192 だしの基本
195 火加減の基本
198 計量の基本
200 炊飯の基本
202 野菜の切り方の基本
206 野菜の保存の基本
209 野菜のゆで方の基本
212 揚げものの基本
215 調味料の保存の基本
218 配膳・盛りつけの基本
222 キッチンの衛生と安全の基本

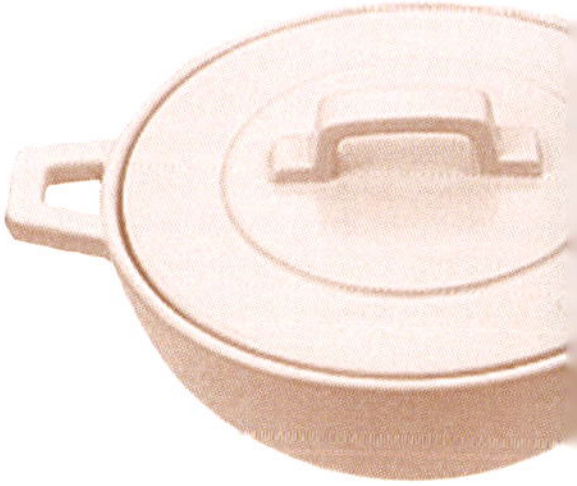

おかずとごはん・めん、汁・鍋もの

104 親子丼
108 たけのことひじきの炊きこみごはん
112 牛肉とレタスの炒飯《チャーハン》
116 豚肉のすぐできカレー
122 なめこおろしぶっかけそば
126 たらこスパゲティ
130 しじみのみそ汁
134 わかめと焼き麩《ふ》のすまし汁
142 キムチどうふ鍋

難易度★★★
誰かに食べさせたい、人に自慢できる定番料理

148 チンジャオロースー
154 ハンバーグ
160 焼きぎょうざ
166 とりのから揚げ
170 とんカツ
176 えびフライ タルタルソースかけ
182 ホットプレートパエリア

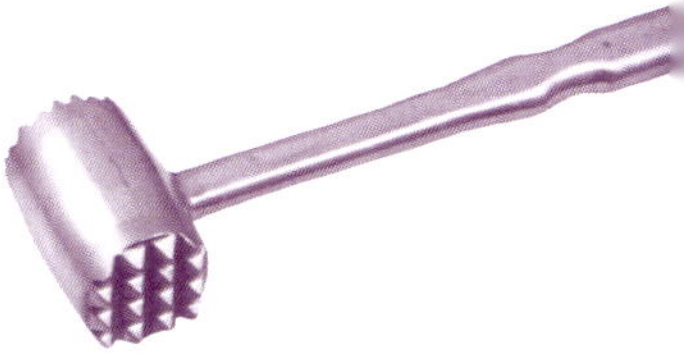

「料理力」がぐんぐんついてくる本

“お料理一年生”より初心者のための、
基本のキが「目で見て」わかる

この本は「料理をしたいけれど、何から始めればよいかわからない」「料理の本を読んでも、さっぱりわからない」「料理は、むずかしい」と感じている方のための本です。また、「料理が嫌い」「料理がにが手」「料理なんて学んでもしかたない」と思っている方のための本でもあります。

書店には、料理初心者のためのたくさんの本が並んでいます。全国でお料理教室を開催している(財)ベターホーム協会でも、『お料理一年生』『お料理二年生』『ベターホームの和食の基本』などの料理本を作ってきました。しかし、それでもまだ、料理初心者にはとまどうことが多いと思います。そこで、“お料理一年生”以前の初心者や、料理にチャレンジしたもののつまづいてしまった人のために作ったのが、この本です。

料理に興味をもってもらえるように、クイズ形式の「料理力」検定問題(ベターホームオリジナルですが、資格試験ではありません)をつけました。楽しみながら、まず、自分の料理力を診断してみてください。そして、実践レシピで、毎日の酒の肴やおかずを作ってみてください。今さら人には聞けない料理の基本のキと、「なぜそうするの？」という調理科学を、やさしく（優しく）教えています。料理の流れは写真を見るだけでざっとわかり、また、特別な材料や調味料を用意しなくてもよいので、やさしく（易しく）作れます。

この本を使いこなしていけば、必ず役立つ「料理力」がぐんぐん身についてくるはずです。

この本でめざす「料理力」とは?

A.選択・判断力

食材や調味料の知識を得て、新鮮な野菜や魚介を選べるように。そして、何をどれだけ、どういうふうに調理するのがいちばんおいしいかがわかるようになりましょう。

B.調理技術力

洗う・切る・煮る・焼く・揚げるなど、調理一般の知識と技術を身につければ、いろんな料理が効率よく作れます。フライパンや鍋、電子レンジなどの調理器具も上手に活用しましょう。

C.理解力

料理レシピに出てくることばが理解できなければ、料理は作れません。
さらに「なぜそうするのか?」を理解できれば、頭に残って、忘れません。しっかり身につきます。

D.段どり力と応用力

料理を段どりよく進めて、手早く料理を作れるようになりましょう。また、1つの料理から新しい料理を考え出したり、とっさの事態や道具がないときも融通をきかせられる力をつけます。

E.始末力

食べものを大切に。これは食の基本です。食材の正しい保存法を知り、使いきるくふうや料理をマスター。ごみを出さず、エネルギーを無駄にしない、安全で衛生的な台所ライフを心がけます。

F.栄養総合知識力と作法力

幅広く、くわしい栄養知識をもつことで、健康な食生活をめざしましょう。
さらに、食のウンチクに通じて食事を楽しく演出し、配膳やマナー力を身につけます。

この本の使い方

この本は、料理をするのがまったく初めての人でも、失敗なくおいしい料理が作れるように、構成しています。
難易度★の料理から始めて、難易度★★⇒★★★とステップアップして実習していくことで、
料理へのにが手意識が消え、自信がついて、確実に「料理力」がアップしていきます。

酒の肴、小鉢、いつもの定番おかずなど料理をやさしい順に載せました。

分量は原則2人分で、1人分でも作りやすい分量です（多く作ったほうがよい料理は4人分。最後のおもてなし料理は4～6人分）。カロリー付き。

必要な調理道具、食材、調味料などが、目でわかるように写真で載せています。

難易度が低いものほど、少ない材料で作れるようになっています。すべてめやすの個数と同時にグラム数も併記。それぞれの代替品も、あれば載せています。

*なお、材料をはかるための計量カップとスプーン、はかりは、必ず用意してください。計量は料理の基本のキです。ボールやトレーは、器や皿で代用してもOK。

料理の難易度、実習することで身につく料理力がわかります。

難易度は3段階。初心者は難易度★の料理をまずいくつか作るのがおすすめ。自信がついたら、★★や★★★の中で、作りたい料理に挑戦してもかまいません。

道具や食材、調味料についての知識、素朴な疑問が、Q&A方式でわかります。

一部は、検定問題ともリンクしているので、料理力UPに役立ちます。

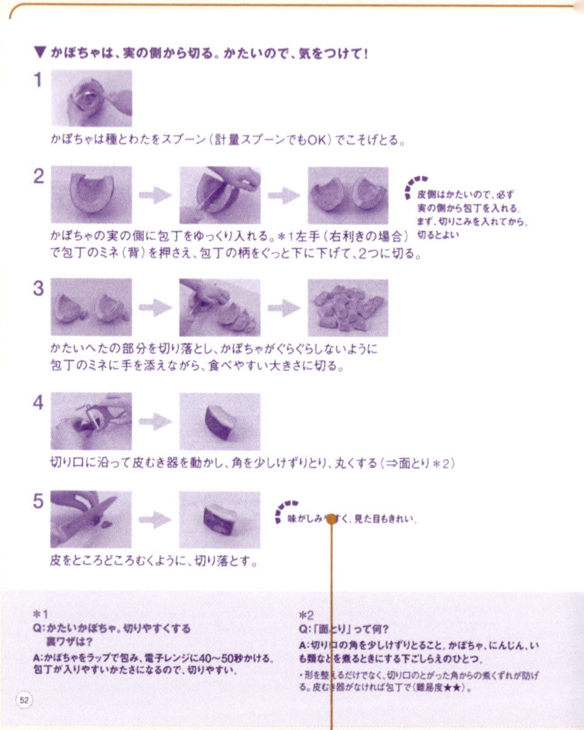

注意したい調理のコツや大切なポイントをピックアップ。

見開きのチャート式。

写真と大きな文字で、見やすく、わかりやすくしました。細かい文字、長い文章を読みこまなくても、ざっと料理の手順と流れがわかります。難易度にかかわらず、好きな料理のページから作り始めてもだいじょうぶなように「やさしく」教えて、解説しています。

料理の裏ワザ、用語解説、計量方法や調理科学のなぜなぜをQ&A方式で解説（一部、検定問題ともリンク）。

料理しながらつまずくあれこれ、ひっかかる疑問を、そのページで解決できるようになっています。

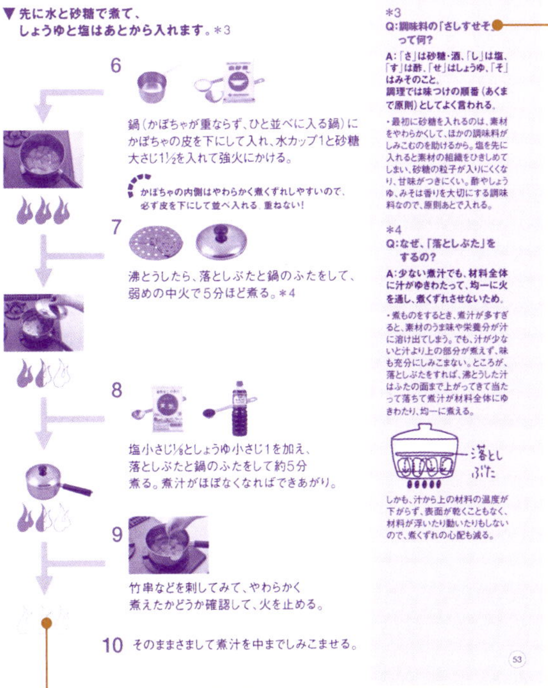
▼先に水と砂糖で煮て、しょうゆと塩はあとから入れます。＊3

6 鍋（かぼちゃが重ならず、ひと並べに入る鍋）にかぼちゃの皮を下にして入れ、水カップ1と砂糖大さじ1½を入れて強火にかける。

かぼちゃの内側はやわらかく煮くずれしやすいので、必ず皮を下にして並べ入れる。重ねない！

7 沸とうしたら、落としぶたと鍋のふたをして、弱めの中火で5分ほど煮る。＊4

8 塩小さじ⅛としょうゆ小さじ1を加え、落としぶたと鍋のふたをして約5分煮る。煮汁がほぼなくなればできあがり。

9 竹串などを刺してみて、やわらかく煮えたかどうか確認して、火を止める。

10 そのままさまして煮汁を中までしみこませる。

＊3
Q：調味料の「さしすせそ」って何？

A：「さ」は砂糖・酒、「し」は塩、「す」は酢、「せ」はしょうゆ、「そ」はみそのこと。
調理では味つけの順番（あくまで原則）としてよく言われる。

・最初に砂糖を入れるのは、素材をやわらかくして、ほかの調味料がしみこむのを助けるから。塩を先に入れると素材の組織をひきしめてしまい、砂糖の粒子が入りにくくなり、甘味がつきにくい。酢やしょうゆ、みそは香りを大切にする調味料なので、原則あとで入れる。

＊4
Q：なぜ、「落としぶた」をするの？

A：少ない煮汁でも、材料全体に汁がゆきわたって、均一に火を通し、煮くずれさせないため。

・煮ものをするとき、煮汁が多すぎると、素材のうま味や栄養分が汁に溶け出てしまう。でも、汁が少ないと汁より上の部分が煮えず、味も充分にしみこまない。ところが、落としぶたをすれば、沸とうした汁はふたの面まで上がってきて当たって落ちて煮汁が材料全体にゆきわたり、均一に煮える。

落としぶた

しかも、汁から上の材料の温度が下がらず、表面が乾くこともなく、材料が浮いたり動いたりもしないので、煮くずれの心配も減る。

53

火加減をイラストで示しました。

は強火、は中火、は弱火。
は火を消す、を示しています。

料理を始める前に、腕試し。あなたの「料理力」は？

自分の「料理力」がわかります。

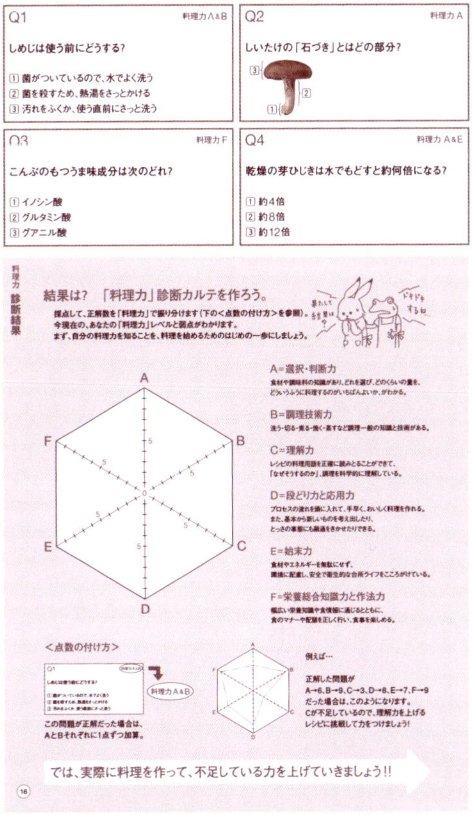
Q1 料理力A&B
しめじは使う前にどうする？
① 菌がついているので、水でよく洗う
② 菌を殺すため、熱湯をさっとかける
③ 汚れをふくか、使う直前にさっと洗う

Q2 料理力A
しいたけの「石づき」とはどの部分？
① ② ③

Q3 料理力F
こんぶのもつうま味成分は次のどれ？
① イノシン酸
② グルタミン酸
③ グアニル酸

Q4 料理力A&E
乾燥の芽ひじきは水でもどすと約何倍になる？
① 約4倍
② 約8倍
③ 約12倍

料理力 診断結果

結果は？　「料理力」診断カルテを作ろう。

採点して、正解数を「料理力」で振り分けます（下の<点数の付け方>を参照）。
今現在の、あなたの「料理力」レベルと弱点がわかります。
まず、自分の料理力を知ることを、料理を始めるためのはじめの一歩にしましょう。

A＝選択・判断力
食材や調味料の知識があり、どれを選び、どのくらいの量を、どういうふうに料理するのがいちばんよいか、がわかる。

B＝調理技術力
洗う・切る・煮る・焼く・蒸すなど調理一般の知識と技術がある。

C＝理解力
レシピの料理用語を正確に読みとることができて、「なぜそうするのか」、調理を科学的に理解している。

D＝段どり力と応用力
プロセスの流れを頭に入れて、手早く、おいしく料理を作れる。
また、基本から新しいものを考え出したり、とっさの事態にも融通をきかせたりできる。

E＝始末力
食材やエネルギーを無駄にせず、
環境に配慮し、安全で衛生的な台所ライフをこころがけている。

F＝栄養総合知識力と作法力
幅広い栄養知識や食情報に通じるとともに、
食のマナーや配膳を正しく行い、食事を楽しめる。

<点数の付け方>

料理力A&B

この問題が正解だった場合は、AとBそれぞれに1点ずつ加算。

例えば…

正解した問題が
A→6、B→9、C→3、D→8、E→7、F→9
だった場合は、このようになります。
Cが不足しているので、理解力を上げるレシピに挑戦して力をつけましょう！

では、実際に料理を作って、不足している力を上げていきましょう!!

16

P.8～15には検定問題が60問。それを解いて、答え合わせをすれば、P.16で現在の「料理力」レベルと弱点がわかるカルテが作成できます。

Q1

料理力 A&B

しめじは使う前にどうする?

① 菌がついているので、水でよく洗う
② 菌を殺すため、熱湯をさっとかける
③ 汚れをふくか、使う直前にさっと洗う

Q2

料理力 A

しいたけの「石づき」とはどの部分?

Q3

料理力 F

こんぶのもつうま味成分は次のどれ?

① イノシン酸
② グルタミン酸
③ グアニル酸

Q4

料理力 A&E

乾燥の芽ひじきは水でもどすと約何倍になる?

① 約4倍
② 約8倍
③ 約12倍

Q5

料理力 E

卵の保存法で正しいのは?

① とがったほうを下にする
② 丸いほうを下にする
③ きれいに殻を洗ってから保存する

Q6

料理力 F

血栓の予防効果があるEPA(IPA)やDHAなど、不飽和脂肪酸をもっとも多く含む魚は?

① さんま
② ふぐ
③ かれい

Q7

料理力 F

次の肉の中で、糖質の代謝を助けるビタミンB_1がもっとも多いのはどれ?

① 牛肉
② 豚肉
③ とり肉

Q8

料理力 E

賞味期限を過ぎた卵は?

① 食べないほうがよいので、捨てる
② 少しぐらい過ぎても平気なので、半熟で食べられる
③ できるだけ早く、火を完全に通してから食べる

A1 ③ 水に長くつけると、風味が落ちるので、汚れをふく程度に(洗うときは、使う直前にさっと!)。ただし、なめこは、水で洗うか、ぬめりが気になるなら熱湯をかける(⇒P.124) A2 ①根元のかたい部分が石づき。③はかさ、②は軸。 A3 ②こんぶのグルタミン酸は、かつおぶしのイノシン酸と合わさると、相乗効果で何倍もうまみが増す。グアニル酸はしいたけのうま味成分。 A4 ② 20gをもどすと、約160gに。もどしすぎないよう、どのくらいの量になるか考えて料理する(⇒P.111)。 A5 ① 気室のある丸いほうを上にすると、中身が安定して、もちがよい(⇒P.69)。 A6 ① あじ、いわし、さばなどの青魚やうなぎに多く含まれる。 A7 ② 豚もも肉には、100gあたり0.9mgのビタミンB_1が含まれ、同じ部位の牛、とり肉の10倍以上。ビタミンB_1の1日の推奨量は、成人男性で1.4mg、女性は1.1mg(年齢により数値は多少異なる)。 A8 ③ 卵の賞味期限は、安心して「生で食べられる期限」を示している(⇒P.69)。

Q9

料理力F

しじみは、昔から体のある部分によいと言われています。どこによいでしょう?

[1] 肺
[2] 肝臓
[3] 腎臓

Q10

料理力D

ハンバーグを作りたいが、ひき肉に混ぜるパン粉がなかった! 代用できるのは?

[1] 焼き麩《ふ》
[2] かたくり粉
[3] マヨネーズ

Q11

料理力 A&E

次の食品で、冷凍に向かないのは?

[1] たらこ
[2] しょうが
[3] とうふ

Q12

料理力 B&C

和食の味つけの順番「さ・し・す・せ・そ」は?

[1] 砂糖・しょうゆ・酢・清酒・みそ
[2] 酒・しょうゆ・酢・精製塩・ソース
[3] 砂糖・塩・酢・しょうゆ・みそ

Q13

料理力D

煮ものを作ろうとしたら、材料のみりんがない! どうする?

[1] 買いに走る
[2] 酒と砂糖を合わせて使う
[3] みりんの代わりに、水を加える

Q14

料理力C

「三杯酢」って何?

[1] 3倍に薄めて使う、濃い味の酢
[2] カップ3の酢
[3] 3つの味のある合わせ酢

Q15

料理力F

冬のほうれんそうと夏のほうれんそう、どちらのほうがビタミンCが多い?

[1] 冬のほうれんそう
[2] 夏のほうれんそう
[3] どちらもほとんど同じ

A9 [2] 昔から、「二日酔いにはしじみ汁」。しじみには、必須アミノ酸がバランスよく含まれており、肝臓の働きを助け、回復を早めてくれる(⇒P.131)。 A10 [1] 麩の原料は、パン粉と同じ小麦粉。くだいて使えばパン粉の代用になる(⇒P.154)。 A11 [3] とうふ、こんにゃく、生の野菜など、水分の多い食品、冷凍で食感が変わってしまう食品は冷凍には不向き。ただし、野菜でも細かく切る、つぶすなど、繊維を壊してしまえば、冷凍できる場合も(⇒P.119)。 A12 [3] (⇒P.53) A13 [2] みりんは、もち米と米麹に焼酎を加え、熟成させたもの。みりん大さじ1のかわりに、酒大さじ1+砂糖小さじ1で、ほぼ近い味が出せる。 A14 [3] (⇒P.24) A15 [1] ほうれんそうの旬は冬。100gあたりに含まれるビタミンCは、夏が20㎎に対して冬は60㎎と、3倍。

Q1
料理力 B＆E

野菜をゆでるとき、水から？　お湯から？

① お湯が沸とうしてから入れる
② 水から入れる
③ 野菜の種類によって違う

Q2
料理力 A＆B

ゆでたあと、水にとる野菜は？

① ほうれんそう
② ブロッコリー
③ 野菜はすべていったん水にとる

Q3
料理力 C

「油抜き」という下ごしらえはどうすること？

① 肉の脂身を包丁で切りとること
② 油揚げや厚揚げに熱湯をかけたり、ゆでたりすること
③ 肉をゆでて脂（あぶら）をとること

Q4
料理力 C

焼く前に魚に塩をふる理由で、間違っているのは？

① 魚のくさみをとるため
② 身くずれしにくくするため
③ 魚についている菌を殺すため

Q5
料理力 A＆C

レタスなど葉もの野菜をパリッとさせるには？

① 塩水に2～3分つける
② 冷たい水に2～3分つける
③ 水に10～15分つける

Q6
料理力 A

あさりの砂抜き、正しいのは？

① 1％の塩水を用いる
② たっぷりの水につける
③ 暗いところに置く

Q7
料理力 A＆B

しょうが汁をとるときに、しょうがの皮は？

① 包丁できれいにむく
② むかないでよい
③ スプーンなどでこそげとる

Q8
料理力 C

「面とり」って何？

① 野菜の皮を、きれいな面が出るように厚くむくこと
② 野菜を煮るとき、表になるほうを下にして鍋に入れること
③ 野菜の切り口の角を薄くけずりとること

A1 ③ 土の上で育つ緑色の野菜（ほうれんそう、さやいんげん、枝豆、ブロッコリーなど）は、たっぷりの熱湯で短時間でゆで、土の中で育つ野菜（いも、にんじん、だいこん、ごぼうなど）は、材料がかくれるくらいの水で、水からゆでる（⇒P.210）。　A2 ①（⇒P.32）　A3 ②（⇒P.36）　A4 ③ 塩をふってしばらくすると、塩の脱水作用により、魚から水分と一緒に生ぐさい成分も出てくる。同時に身がひきしまり、くずれにくくなる。菌は殺せない。　A5 ②（⇒P.74）。塩水につけると野菜の水分が外に引き出されてしんなりとし、長時間つけると栄養素が流れ出てしまうので×。　A6 ③（⇒P.44）　A7 ②（⇒P.74）。　A8 ③（⇒P.52）

Q1

料理力A

しょうが1かけとはどのくらい？

1. 約30グラム
2. 約10グラム
3. 薄く切った1切れ

Q2

料理力A

たらこ1腹はどれ？

1

2

3

Q3

料理力D

計量スプーンの大さじ1は小さじ何杯分？

1. 小さじではちょうど何杯とははかれない
2. 小さじ2杯分
3. 小さじ3杯分

Q4

料理力D

みそ大さじ1は何g？

1. 約5g
2. 約10g
3. 約16g

Q5

料理力D

米用カップで1カップは何㎖（＝cc）？

1. 180㎖
2. 200㎖
3. 220㎖

Q6

料理力D&E

大さじ2のしょうゆと大さじ1の砂糖と大さじ½の酒をはかりたい。大さじは1本しかない。どの順番ではかるのがよい？

1. しょうゆ⇒砂糖⇒酒の順
2. 酒⇒しょうゆ⇒砂糖
3. 砂糖⇒酒⇒しょうゆ

A1 2 親指の先大、2㎝角くらいで、約10g。 A2 1 たらこはすけとうだらの卵巣で、2袋が一対になっており、一対で「1腹」と数える（⇒P.127）。 A3 3 大さじ1は15㎖、小さじ1は5㎖。大さじ、小さじともに、固体はすりきりで1杯、液体は縁までいっぱいになり、こぼれそうでこぼれない程度まで入れて1杯。 A4 3 みそ汁2人分のめやすは、だし約300㎖に対して、みそ大さじ1と½。また、大さじ1の塩が15gなのに対して、砂糖は8g。素材によって重量はまったく異なるので注意（⇒P.199）。 A5 1 ふつうの計量カップは、1カップ200㎖で、160gの米がはかれる。対して、炊飯器についている米用カップは180㎖、150g。米用カップは「1合」と同じ容量。炊くと300gで、約2膳分。ただし、無洗米は重量が違う。 A6 3 固形や粉末状の材料⇒液体の順にはかれば、大さじをいちいち洗わなくても大丈夫。酒としょうゆはどちらを先にはかってもOK。

Q1

料理力B

かたゆで卵、水からゆでて、何分ゆでる?

① 沸とう後約5分
② 沸とう後約8分
③ 沸とう後約12分

Q2

料理力C

煮魚をする際、皮に切り目を入れる理由で間違っているのは?

① 皮が破れるのを防ぐため
② 煮汁をしみやすくするため
③ 魚くささを逃すため

Q3

料理力B

肉を焼くときに、塩はいつふるのがよい?

① 焼く20分くらい前
② 焼く直前
③ 表面に火が通ってから

Q4

料理力E

揚げ油はどの状態のときに油こし器でこす?

① 温かいうちに
② 完全にさめてから
③ ひと晩おいてから

Q5

料理力C

ハンバーグを作るとき、中央をくぼませるのはなぜ?

① ソースをのせるため
② 火の通りをよくするため
③ 特に意味はなく、そうしなくてもよい

Q6

料理力D

めんをゆでる際、ふきこぼれそうになったら、どうするとよい?

① 火を弱める
② びっくり水を入れる
③ 鍋より大きめのふたをかぶせる

Q7

料理力D

卵料理を作るとき、あらかじめやっておきたいことは?

① 使う卵の殻を洗って、冷蔵庫にもどしておく
② 使う卵を冷蔵庫から出して室温におく
③ 使う卵の殻にひびを入れておく

Q8

料理力B&D

ぬらしたさい箸をふきとり、熱した油に入れたところ、つけた部分の箸全体から泡がフワフワと出た。油の温度は、何度くらい?

① 150℃
② 160～170℃
③ 180℃

A1 ③ (⇒P.82、P.179)　A2 ③ (⇒P.90)。　A3 ② 肉の場合は、魚ほどくさみがなく、塩の脱水作用によって身がしまってしまうとおいしくないので、焼く直前に塩をふる。　A4 ①さめるとこし紙を通りにくくなるので、温かいうちに油こし器でこす。ただし、こぼれたとき危険なので、自分のほうへ向けてそそがないようにして、充分気をつけること。　A5 ② (⇒P.157)　A6 ① びっくり水は、さし水ともいい、材料をゆでている途中で、ふきこぼれそうになったときに、少量の水を加えること。めん類をゆでるときによく利用されてきたが、現在はガスや電気で火力の調節がかんたんにできるので、弱火にすればよい (⇒P.125)　A7 ② 冷蔵庫から出してすぐの卵はかなり冷たい。そのまますぐに使うと火の通りに時間がかかり、ゆで卵にするとひびが入りやすくなる。また、卵の殻を洗ったり、ひびを入れたりして時間をおくと鮮度が落ちる。(⇒P.70)　A8 ② (⇒P.175)

Q9

料理力 B

切り身魚を焼くとき、生ぐささをとるためにすることで、間違っているのは?

1. 魚をよく洗う
2. 酒を少々ふっておく
3. 塩をふってしばらくおく

Q10

料理力 D

薄切り肉を鍋でいためたら、鍋にくっついてしまった! どうする?

1. 油をたして、さい箸でこそげるようにしてとる
2. 水を加えて強火にして鍋をゆする
3. 鍋を火からおろし、鍋底をぬれぶきんにあてる

Q11

料理力 B

いためもののコツで間違っているのは?

1. 熱をまんべんなくいきわたらせるよう、常にこまめにかき混ぜる
2. 調味料は最後に入れる
3. 強めの火で手早く仕上げる

Q12

料理力 E

同じ湯を使いまわしてゆでるとしたら、どの順番でゆでる?

1. ほうれんそう⇒にんじん⇒さやいんげん
2. にんじん⇒さやいんげん⇒ほうれんそう
3. 好きな野菜からゆでてかまわない

Q13

料理力 F

魚料理の「ムニエル」。本来の意味は?

1. 魚屋
2. 酒屋
3. 粉屋

A9 1 切り身魚は、洗うとうま味が逃げてしまうから洗わない。血などはぬらしたペーパータオルなどでふく。塩をふっておくと、脱水作用により、魚から水分と一緒に生ぐさい成分も出てくる。また、酒も、生ぐささを消すのに効果的。 A10 3 鍋底を冷やすことによって、肉が離れやすくなる。また、肉の表面が固まっていないうちに動かすと、くっついてしまいがち。肉を入れたら、やたらに動かさず、脂が出てくるまで待つ。表面が固まれば、鍋から離れやすくなる。 A11 1 材料をいためるとき、混ぜすぎるとかえって火が通りにくくなるし、調味料を最初に入れてしまうと野菜から水分が出て水っぽくなってしまう。最後に調味料を入れ、すばやく混ぜて味を均一にし、野菜がシャキッとしているうちに仕上げる。 A12 2 色の出ないもの、アクの少ないものからゆでる。ほうれんそうのアクの正体であるシュウ酸は、えぐ味があるうえ、鉄やカルシウムの体内への吸収を妨げるといわれ、湯を使いまわす場合は必ず最後に。なす、ごぼう、れんこん、たけのこも、アクの強い野菜。にんじん、さやいんげんはどちらからゆでてもOK。ゆであがったら、鍋からとり出し、順にゆでると、水も時間も節約できる。 A13 3 フランス語で粉屋(⇒P.100)。

Q1

料理力E

まな板の扱いについて、間違っているのは?

1 水でぬらし、ふきんでふいてから使う
2 肉や魚を切ったときは、熱湯で洗ってから水で洗う
3 月に1度くらい、漂白剤を薄めた液につけるとよい

Q2

料理力E

フッ素樹脂加工のフライパンでしてはいけないことは?

1 から焼き
2 蒸し焼き
3 しょうが焼き

Q3

料理力C

「落としぶた」って何?

1 切り落としの豚肉
2 煮ものをするとき、材料の上に直接のせるふた
3 生きたかにをゆでるとき、かにを驚かせるため、約10㎝上から落とすふた

Q4

料理力C

包丁のミネとはどこ?

A1 2 最初に湯をかけると、熱で(肉や魚の)血やたんぱく質が固まり、落ちにくくなるので×。まず水で洗い流してから、洗剤で洗い、最後に湯をかけよう(⇒P.223)。 A2 1 少量の油でもくっつかず、便利なフッ素樹脂加工のフライパン。しかし、中に何も入れずに強火で長時間加熱(から焼き)すると、表面のコーティングがいたんで、こげつきやすくなるので避ける。予熱するときは、必ず油を入れてから火をつけ、1～2分したら(通常のコンロの場合)、すぐに調理を始めること。 A3 2 (⇒P.51、53) A4 2 1は刃先、3は刃元。ミネは包丁の背にあたる部分(⇒P.56)。

Q1

料理力 F

和食で切り身魚を盛りつけるときのきまりは?

1 皮のついているほうを向こう側に盛る
2 皮のついているほうを手前に盛る
3 特にきまりはない

Q2

料理力 F

ぶりの鍋照りにかぶの甘酢漬けを添えたい。どの位置に置く?

1 左よりの前
2 右よりの前
3 斜め後ろ

Q3

料理力 F

箸のマナー違反、料理を上から食べないで、下のほうからほしいものを探ったり、引き出したりすることを何という?

1 刺し箸
2 こじ箸
3 ねぶり箸

Q4

料理力 F

ごはんとみそ汁の位置は?

1 右にごはん、左にみそ汁
2 右にみそ汁、左にごはん
3 どちらでもかまわない

A1 1 原則、幅の広いほうを左、皮のついているほうを向こう側に盛る。一尾魚のときは、頭を左、腹を手前。このとき、かれいだけは例外で頭を右、黒い皮のほうを上にして盛る。逆にすると、裏の白い面が出てしまうため、見栄えがよくない。(⇒P.95、P.220)　A2 2 これは、「前盛り」といって、料理の見た目を引き立てると同時に、口の中をさっぱりさせる役割がある。前盛りは器のバランスを考え、やや右よりの前に置くことが多いが、料理によっては、主なる素材の前中央に置くこともある。(⇒P.95)　A3 2 「こじ箸」は、ほじり箸、探り箸ともいう。「刺し箸」は、料理に箸を突き刺してとること、「ねぶり箸」は箸を口の中に入れてなめること。このように、一緒に食事をする人に不快感を与えるような箸づかいを「嫌い箸」とよぶ。ほかには、器を箸で引き寄せる「寄せ箸」、箸先から汁をポタポタ落とす「涙箸」、箸から箸に料理を渡す「合わせ箸(渡し箸、拾い箸ともいう)」など。　A4 2 ごはんは左、汁は右、手前に箸が基本(⇒P.218)。

結果は？　「料理力」診断カルテを作ろう。

採点して、正解数を「料理力」で振り分けます（下の＜点数の付け方＞を参照）。
今現在の、あなたの「料理力」レベルと弱点がわかります。
まず、自分の料理力を知ることを、料理を始めるためのはじめの一歩にしましょう。

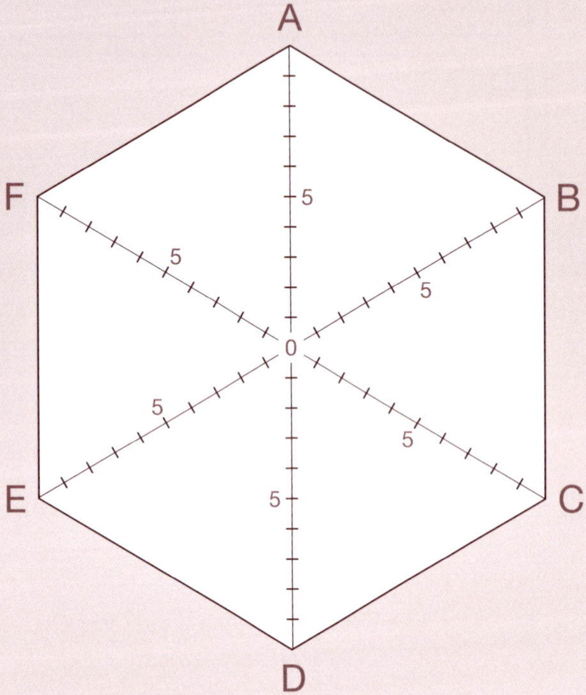

A＝選択・判断力

食材や調味料の知識があり、どれを選び、どのくらいの量を、
どういうふうに料理するのがいちばんよいか、がわかる。

B＝調理技術力

洗う・切る・煮る・焼く・蒸すなど調理一般の知識と技術がある。

C＝理解力

レシピの料理用語を正確に読みとることができて、
「なぜそうするのか」、調理を科学的に理解している。

D＝段どり力と応用力

プロセスの流れを頭に入れて、手早く、おいしく料理を作れる。
また、基本から新しいものを考え出したり、
とっさの事態にも融通をきかせたりできる。

E＝始末力

食材やエネルギーを無駄にせず、
環境に配慮し、安全で衛生的な台所ライフをこころがけている。

F＝栄養総合知識力と作法力

幅広い栄養知識や食情報に通じるとともに、
食のマナーや配膳を正しく行い、食事を楽しめる。

＜点数の付け方＞

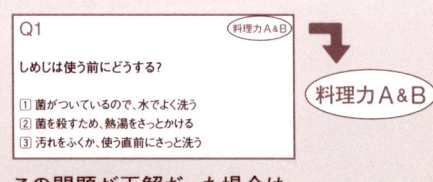

Q1　料理力A&B

しめじは使う前にどうする？

1 菌がついているので、水でよく洗う
2 菌を殺すため、熱湯をさっとかける
3 汚れをふくか、使う直前にさっと洗う

料理力A&B

この問題が正解だった場合は、
AとBそれぞれに1点ずつ加算。

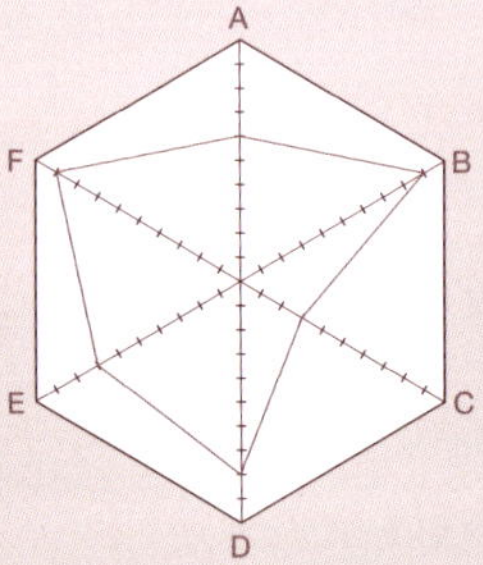

例えば…

正解した問題が
A→6、B→9、C→3、D→8、E→7、F→9
だった場合は、このようになります。
Cが不足しているので、理解力を上げる
レシピに挑戦して力をつけましょう！

では、実際に料理を作って、不足している力を上げていきましょう!!

難易度★

ささっと作れる、酒の肴・小鉢もの

酒の肴やちょっとした小鉢のおかずくらい、自分で作れるようになろう。

ここで出てくる料理は、まず、材料が少ない。
しかも、切る、ゆでる、あえる、など作業も単純。
上級料理力保持者には、チョチョイのチョイかも？

毎日1つ、2つと作っていくうちに、料理ってかんたんなんだと
自信と「料理力」がついてくる。

湯どうふ

2人分／調理時間20分／1人分109kcal

まずは、ハードルの低い料理から始めましょう。
寒い冬の日に食べたい、もっともシンプルな鍋＝湯どうふです。
土鍋にこんぶをつけて、こんぶのうま味をとうふに移すことが大切。
かつおだしのきいた「つけじょうゆ」の作り方も覚えておくと重宝します。

難易度★　選択・判断力↗up

▼用意する道具

包丁・まな板
… 各1つ

土鍋または
卓上に置ける鍋
… 1つ

小さめの鍋
… 1つ

小鉢 … 2つ
（つけじょうゆを入れる器と
もみじおろしを入れる器）

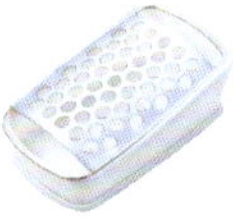

おろし金 … 1つ

小さめのボール
… 1つ

小さめのざる
… 1つ

▼用意する材料

×4

水 … カップ4
（800mℓ）

＊1
こんぶ
… 約5cm×2枚

＊2
絹ごしどうふ
… 1丁（約300g）

だいこん
… 150g

一味とうがらし
… 適量
（ひとふりかふたふり）

▼つけじょうゆ＊3の材料

けずりかつお
… 2パック
（3〜5g）

しょうゆ
… 大さじ2

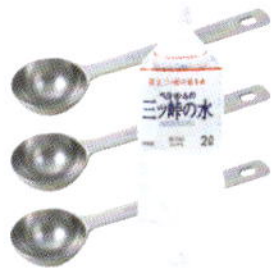

水 … 大さじ3

＊1
Q:湯どうふに向くこんぶは?

A:だしがよく出る日高こんぶがぴったり。

・ほかの食材は安あがりなので、ここはこんぶを奮発しておいしい湯どうふを作ろう。

＊2
Q:とうふのもめん、絹ごし、どう違う?

A:もめんどうふは、温めた豆乳ににがりを入れてゆるく固まったものを布に敷いた穴あきの型箱に入れ、重しをかけて水分を抜いたもの。比較的しっかりとしていて、扱いがらく。

絹ごしどうふは、温めた豆乳ににがりを入れ、型に入れてそのまま固めたもの。もめんよりも濃い豆乳で作り、絹のようななめらかさが特徴。

・そのまま食べる料理では、口あたりやのどごしを考えて絹ごし、いためたりする料理は、しっかりして扱いやすいもめんが向く。

Q:残ったとうふの保存法は?

A:密閉容器に入れ、とうふがかくれるくらいまで水を入れて冷蔵庫で保存。

・水を毎日とりかえながら、1〜2日で使いきる。

＊3
Q:つけじょうゆって何?

A:かつおぶしとしょうゆで作るだしじょうゆ。

・とうふをつけて食べるとおいしい。せっかく温かいとうふを食べるのだから、これを作って、とうふと一緒に温めておこう。つうっぽく食べられる。

＊1
Q:もみじおろしって何?

A:とうがらしの赤み(もみじ)が加わったピリ辛のだいこんおろしのこと。

・だいこんおろしに一味とうがらしを混ぜてもよいが、下の写真のような手順で作ることも。

①赤とうがらしを水につけてやわらかくする。

②とうがらしの種を、手でもむようにして押し出してとる。

③2つに切る。

④だいこんにさい箸で穴をあけ、とうがらしを箸で押しこむ。

⑤すりおろす。

▼まず、こんぶを水にひたしておきます。

1

こんぶが吸水して大きくなる。
こんぶのうま味を出させる。

土鍋に水カップ4とこんぶ5㎝×2枚を入れて、15分以上おく。

▼こんぶをつけている間につけじょうゆを作ります。

2

小鍋に、けずりかつお2パック、しょうゆ大さじ2、水大さじ3を入れ、中火にかけてひと煮立ち(下の写真のように、1回ワーッと煮えてわきたつ)させる。

火を止める。

3

ざるでこしながらボールに入れる。

4

鍋に入れられる小鉢に移す。

▼続けて、もみじおろしを作ります。＊1

5

だいこん150gは洗って、左手に持ち、包丁をねかせて皮に当てる。

6

右親指を少しずつ進めながら、同時に左手でだいこんを少しずつ右に回して皮をむく。

＊5、6とも左利きの人は逆になる。

7

おろし器ですりおろす。

8

ざるに入れて、自然に水気をきる。

9

器に入れ、一味とうがらしを適量＊2、ふる。

▼とうふを切って、1の鍋（この時点で約15分経過しているはず）に入れます。

10

とうふ1丁をパックから出して、8つに切る。＊3

11

鍋の中央につけじょうゆの器を入れ、周囲にとうふを入れて、中火にかける。

12

とうふがゆらゆらゆれ始めたら、食べごろ。火を弱める。

とうふが甘くておいしい温度になっている。

13

9のもみじおろしをのせ、つけじょうゆをかけて食べる。 ＊だしをとったこんぶの利用法→P.137の＊2

＊2

Q:調味料の「適量」って、どういう意味?

A:「適量」とは文字どおり、適当な量。でも、「その適当がわからない!」のが初心者だろう。言いかえれば、「あなたの好みの量を入れてください」という意味。

・ここではだいこんおろしにほんのり赤みがつけばよいわけで、辛いのが好きな方は多めに、にが手な人は、ひとふりくらい。

＊3

Q:とうふは洗うの?

A:密封パックや充てんのとうふは洗う必要はない。

・でも、気になるようなら、ボールに水をはり、さっと通す。とうふ店で水に放して売っていたものや一度開封したものも、水に通すこと。

たたききゅうりの酢のもの

2人分／調理時間 **5** 分／1人分 **12** kcal

酒の肴に、もう1品ほしいなというときに、ささっと作れます。
たたくことで味がしみやすくなり、すぐ食べておいしい。
また、調味料をかえれば違った味が楽しめる、
応用力のつく料理です。

＊1

Q:おいしいきゅうりの選び方は？

A:新鮮なきゅうりのポイントは次の3つ。
①緑色が濃くてつやがよい。
②表面のとげ（イボ）が痛いくらい張りがある。
③持つと重く感じる（水分が蒸発していない証拠で、みずみずしい）。

・きゅうりは曲がっていても味には関係ありませんが、極端に下が太くなっているものは避ける（古くなって、水分が下にたまった）。

Q:残ったきゅうりの保存法は？

A:保存袋に入れ、野菜室へ。3〜4日で使いきる。
立てた状態でおくと、より長もちする。（⇒P.206）

＊2

Q:赤とうがらし½本を使う場合は？

A:使う分だけ、乾いたままキッチンばさみでやさしく、割れないように切る。

・切ったあと、種はとってしまうこと（残すと、激辛になるので）。

＊3

Q:にんにく1片ってどれ？

A:右が丸ごと1個のにんにく。左が1片で約10ｇ。その小さめ1片が5ｇ。最近は、1片が小さくて5ｇのものも多い。

難易度★　選択・判断力↗up　理解力↗up　応用力↗up

▼用意する道具

包丁・まな板
…各1つ

厚手のポリ袋
…1枚

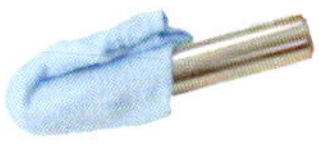

タオルを巻いた
ラップ（の芯）※
…1つ

or

※あればすりこぎや
　めん棒、びんなど

調味料を合わせる器
…1つ

▼用意する材料

＊1
きゅうり…1本

いりごま（白）
…小さじ1/4

▼用意する調味料

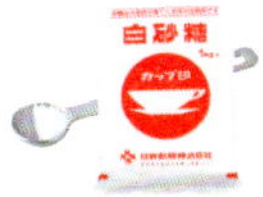

砂糖…小さじ1/2

塩…小さじ1/6

酢…小さじ2

【応用料理】
たたききゅうりの中華ピリ辛漬け

2人分／調理時間10分／1人分31 kcal

▼用意する道具

上の道具　＋
キッチンばさみ…1つ
木べら…1つ
ボールと調理皿…各1つ

▼用意する材料

きゅうり…1本
赤とうがらし…1/2本 ＊2
にんにく…小1片（5g）＊3

▼用意する調味料や油

砂糖…小さじ1/4
酢…大さじ1
しょうゆ…大さじ1
ごま油…小さじ1

＊1
Q:砂糖小さじ1/2のはかり方は?

A:①小さじ1をすりきる。
②2等分の線を引き、半分を除く。(さらに半分にすると1/4)

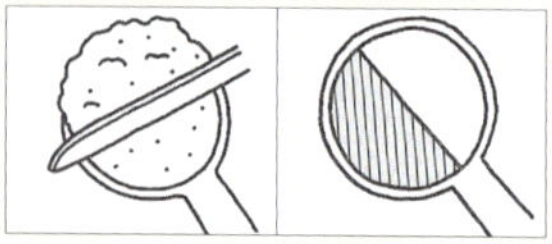

＊2
Q:塩小さじ1/6のはかり方は?

A:①小さじ1に3等分の線を引いて、2/3を除く(→小さじ1/3)。
②小さじ1/3の半分を除く。

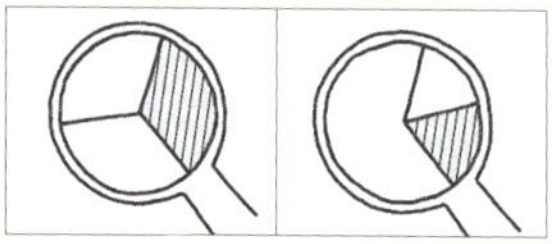

＊3
Q:「ひねりごま」って何?

A:ごまを指先でひねってつぶし、香りを出すこと。

・こうすることで、ごまの香りが引き立ち、丸のままより、ごまの栄養分もとりやすくなる。

【酢のものの基本知識】

Q:「三杯酢」って何?

A:「酸味＋塩味＋甘味」の3つの味のある合わせ酢のこと。

・このたたききゅうりの酢のものは、酢(酸味)＋塩(塩味)＋砂糖(甘味)を合わせているので、三杯酢で作った酢のもの。

・塩味としては塩のほかにしょうゆ、甘味は砂糖のほかにみりんを使う場合もある。また、それぞれをだしでうすめることもある。

「二杯酢」という場合は、「酸味＋塩味」の2つの味を合わせた酢。

▼きゅうりはたたき割って、味をしみやすくします。

1

きゅうり1本は洗ってから、両端を切り落とす。

2

切るよりも表面積が広くなり、味がしみこみやすくなる。

ポリ袋に入れ、ラップの芯でたたいて割れ目を入れる。

3

or

袋の中で食べやすく折るか、食べやすい大きさに切って、
ポリ袋にもどす。

▼調味料を加えてあえます。

4

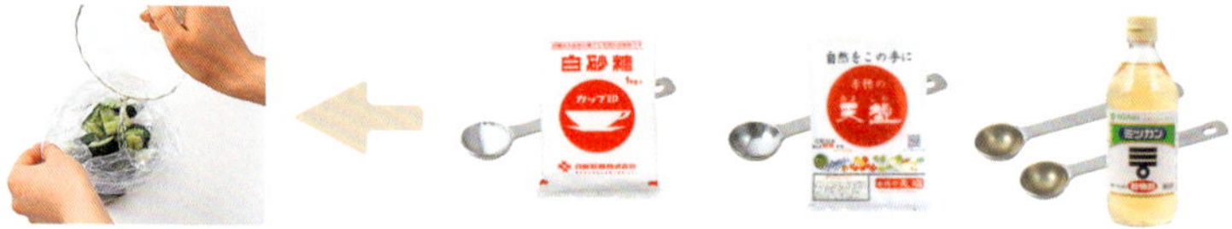

砂糖小さじ1/2、塩小さじ1/6、酢小さじ2を合わせて、ポリ袋に入れる。
＊1　＊2

5

袋の上からきゅうりをもむようにして、
味をしみこませる。

▼ひねりごま＊3で風味よく。

6

器に盛って、いりごま小さじ1/4(小さじ1/2を半分にすればよい)を指でひねりながら散らす。

【応用力をつける！】たたききゅうりの中華ピリ辛漬け

きゅうりと合わせる材料と調味料を変えれば、
また違う味が楽しめます。

1～**3**まで、きゅうりの下処理は、左ページと同じ。

▼ 赤とうがらしは小口切り、にんにくはみじん切り。

4

赤とうがらし½本は、
水につけておく。

5

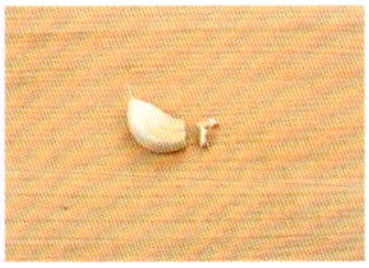

にんにく小1片は、根元を切って
皮をむき、木べらでつぶす。

6

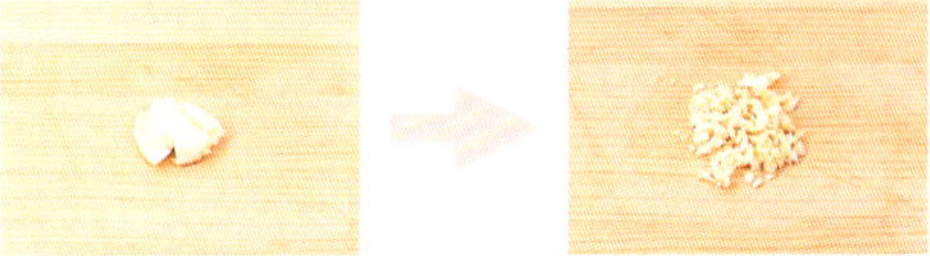

つぶれたにんにくを端から切って、みじん切りにする。＊4

7

赤とうがらしは、キッチンばさみで
小口切りにする。＊5

＊種がまだ残っていたら、切る前に、水の中でもみ出してとること。

▼ 調味料を加えてあえます。

8

きゅうりのポリ袋に、みじん切りのにんにく、小口切りの
赤とうがらし、砂糖小さじ¼、酢大さじ1、しょうゆ大さじ1、
ごま油小さじ1を入れて、軽くもむ。
（⇒袋のまま冷蔵庫で2～3日保存可）

＊4
Q:にんにくのみじん切りのコツは？

A:まず、切る前につぶす。

・多くのレシピでは、包丁の腹（P.56の＊2）でつぶすとあるが、包丁がこわい料理初心者は、木べらでつぶそう。そうしてから端から細かく切ればよい。これでも充分だが、さらに包丁を動かせば、より細かく切れる。

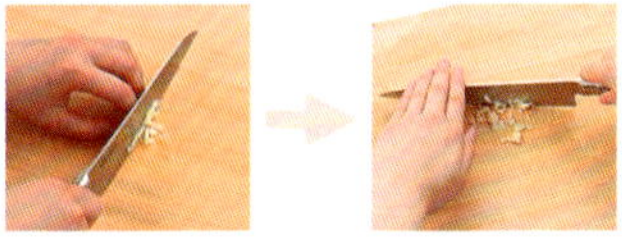

＊5
Q:「小口切り」ってどういう意味？

A:小口とは「ものの端」「先端」という意味。とうがらしやきゅうり、ねぎなど細長いものを、小口（端）から切ること（やや薄く切るのがふつう）。

Q:赤とうがらしの小口切り、形をくずさずきれいに切るにはどうすればよい？

A:5分ほど水につけて、やわらかくしてから切る。

・赤とうがらしは、赤く色づいたとうがらしを乾燥させて作る。そのまま輪切り（小口切り）にすると、割れてしまってきれいな輪にならないので、水につけてやわらかくしてから切る。種も、水の中でもむようにして押し出すと、無理なくとれる。

枝豆の塩ゆで

2人分／調理時間10分／1人分56kcal

ビールのおつまみに最適な枝豆。
たんぱく質、ビタミンB_1、食物繊維、カルシウム、鉄などが豊富で、
不足しがちな栄養面もばっちりです。
ゆでるだけだから、かんたん。と思いきや、
おいしくゆでるには、ちょっとしたコツがあります。

難易度★　選択・判断力↗up　調理技術力↗up

▼用意する道具

キッチンばさみ…1つ

大きめのボール…1つ

片手鍋…1つ（18㎝）

さい箸…1膳

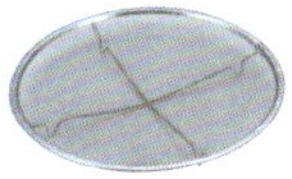
平らなざる…1つ

▼用意する材料

＊1
枝豆（さやつき）…150g

▼用意する調味料

塩…小さじ1

＜ゆであがったあとに＞

＊2
塩…小さじ⅛

＊1
Q:おいしい枝豆の選び方は?

A:さやの緑色が濃く、しっかり粒が入っているもの。枝つきは、さやが密生しているもの。

100gは、手の平にいっぱいのるくらい。

＊2
Q:塩小さじ⅛のはかり方は?

A:①ふんわりと多めに入れて、棒状のもの（大さじの柄など）ですりきる。これが小さじ1。

②2等分の線を引いて、半分を除く（⇒小さじ½）。

③平らにならし、もう一度半分にすれば、¼。

④平らにならし、さらに半分にして、右が⅛。

A:小さじではかるのがめんどうならば、親指と人さし指でつまんだ量が小さじ⅛。多くのレシピでは「塩少々」と書かれている。

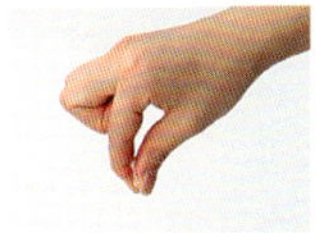

▼まず湯をわかします。

1

鍋に水をたっぷり入れて、ふたをして強火にかける。

▼湯がわく間、枝豆をおいしく、色よくゆでるための下ごしらえ。

2

塩味がしみやすく、食べやすい

枝豆150ｇは、さやの端をはさみで少し切る。

3

水を少なめにはったボールの中で、両手でもむように洗う。水を捨てる。

4

こうすることでうぶ毛がとれ、塩もしみこみ、色よくゆであがる。

塩小さじ1をふって、手でもみこむようにして全体にまぶす。

Q:枝つきの枝豆を買ったら?

A:枝つきの枝豆は、まず枝からさやを切り離す。買ったその日にゆでることができない場合も、枝からさやを切りとり、ポリ袋に入れて野菜室へ。

・鮮度が落ちやすい野菜なので、翌日にはゆでたい。冷凍するときは、かためにゆでて水気をふき、保存袋に。食べるときは自然解凍。

Q:冷凍の枝豆を買ったら?

A:夏以外に枝豆を食べるときは冷凍を利用。生とゆでで方や時間が違ったり、流水で解凍したりと、商品によって扱いが違うので、表示に従う。

▼湯がわいたら、さあ、ゆでましょう！

5

鍋の湯が沸とうしたら、
枝豆を塩がついたまま熱湯に入れ、
ふたをしないで4〜5分ゆでる。

**緑の野菜は、
ふたをしてゆでると
色が悪くなってしまう。**

6

さい箸でひとつとり出し、食べてみて確認。
少し歯ごたえがあるくらいでOK。
火を止める。

▼ゆであがったら、広げてさまします。

7

ざるにあけて、広げて水気をきる。
熱いうちに塩小さじ$\frac{1}{8}$をふる。

**注意！　ゆであがったら、うちわなどであおいで、急いでさますと、緑鮮やかに仕上がる。
水にさらしてさますと、水っぽくなっておいしくない。**

【応用1】
ごはんに混ぜれば、枝豆ごはんに！

ゆでた枝豆をさやから出し、炊きたてのごはんに、いりごま（白）と一緒に混ぜれば、おいしい枝豆ごはんになる。

【応用2】 1人分 71kcal
いつも塩ゆではつまらないから、甘辛煮に！

①作り方2〜4は同じで、枝豆のうぶ毛をとる。水で洗って塩をとり、水気をきる。②鍋に水カップ1、砂糖大さじ1、しょうゆ大さじ1を煮立てる。③枝豆を入れて中火で約2分、汁気がなくなるまでふたをしないで煮る。

ほうれんそうのごまあえ

2人分／調理時間15分／1人分58kcal

ぜひ、おいしく作りたい定番の小鉢です。
かんたんなようで、コツを知らないと水っぽくなってしまいます。
でも、これをマスターすれば、「おひたし」もマスターしたのと同じ。
ほうれんそう以外のこまつなやしゅんぎくなどの青菜でもできますよ。

難易度★　選択・判断力↗up　調理技術力↗up　理解力↗up　段どり力・応用力↗up

▼用意する道具

包丁・まな板
… 各1つ

片手鍋 … 1つ
(18㎝)

大きめのボール
… 1つ

大きめのざる
… 1つ

さい箸 … 1膳

トレー(大) … 1つ

▼用意する材料

＊1
ほうれんそう … ½束
(150g)

↓代用可

(こまつなやしゅんぎく
… 150g)

すりごま(白)
… 大さじ3

▼用意する調味料やだし

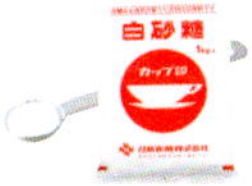

砂糖 … 小さじ1

しょうゆ … 小さじ1

＊2
だし … 大さじ1

＊3
しょうゆ … 小さじ¼
(しょうゆ洗い用＊4)

＊1
Q:おいしいほうれんそうの選び方は?

A:①葉がみずみずしくて、つやがある。②根元が太すぎず、しっかりしている。の2点をみて、選ぶ。

・ちなみに、冬のほうれんそうは、夏のものよりも栄養価が高く、カロテンは1.5倍、ビタミンCは約3倍もある。

＊2
Q:少量のだしが必要なときは?

A:けずりかつお1gに熱湯カップ¼をそそぐか、耐熱容器にけずりかつお1gと水カップ¼を入れて電子レンジで約1分加熱。茶こしでこせば、大さじ2くらいのだしがとれる。

・それもめんどうならば、市販のだしの素を親指と人さし指でつまんだ量(少々)を大さじ1の湯でうすめて作っても。

＊3
Q:しょうゆ小さじ¼ってどうはかる?

A:小さじ½のラインよりやや下まで入れる。

＊4
Q:「しょうゆ洗い」って何?

A:あえものやおひたしの下ごしらえとして使う手法で、しょうゆ少量をふりかけて軽くなじませ、しぼること(→P.33)。

▼まず、たっぷりの湯をわかします。

1

鍋に水をたっぷり入れて、
ふたをして強火にかける。

▼湯がわく間、ほうれんそうを洗って、下処理。

2

下にボールをおき、水を流しながら、
ボールの中でほうれんそう150gの全体を洗う。

3

葉を広げるようにして、
根元の泥をよく洗い落とす。
洗ったものからざるに置き、
水気をよくきる。

4

火の通りがよくなるように、
根元に十文字の切り目を入れる。

▼ふたをしないで、短時間でゆで、すばやく水にとってさまします。＊1

5

沸とうした湯に、ほうれんそうの根元の
ほうから入れる。鍋が小さければ、
2度に分けてゆでる（同じ湯でOK）。

6

水を入れたボールを
鍋の横に用意しておく。

7

いったん静まった湯が、再び沸とう
してきたら、さい箸で上下を返し、
すぐにとり出して水にとる。＊2

＊1
Q:緑の野菜を色よくゆでるコツは?

A:①湯温を下げずに短時間でゆでる。…野菜を入れれば、沸とうした湯の温度がいったん下がる。再び沸とうするまで時間がかかると色が悪くなり、栄養素も流れ出す。温度が下がるのを防ぐためにも、野菜はよく水気をきってからゆでる。

②**ふたをしない**。…少しでもゆで時間を短縮するには、ふたをすべきだと思いがち。しかし、蒸気の中には色を変える成分が出ているので、ふたはしない。

③**ゆですぎない**。…根などかたい部分から入れ、ちょっとかたいくらいで火を止める（余熱で火が通る）。

④**急いでさます**。

＊2
Q:ゆでた野菜、水にとってさます? ざるにあけてさます?

A:青菜は水にとり、それ以外の野菜はざるにあけてさます。

・野菜の緑を鮮やかに残すには、手早くさますことが大切。余熱で色が悪くなる青菜は、すぐに水にとってさます（特にほうれんそうはアクが強いのでアクをとり除くという理由もある）。青菜以外の、余熱でさほど色が悪くならず、アクも少ない野菜ならざるに広げてさましたほうが、水っぽくならない。
（→枝豆P.29、ブロッコリーP.79）

8

水を1～2回かえて、
すばやくさます。

9

水の中で根元をそろえる。

10

根元から葉先へと手で握るようにして、
平均に水気をしぼる。

11

(トレーに置き、上から)しょうゆ小さじ$\frac{1}{4}$をかけて、
もう一度しぼる。(⇒「しょうゆ洗い」＊3)。

▼切って、ごまのあえごろもであえます。

12

根元を切りそろえ、半分に切ってから、3等分に切る。

13

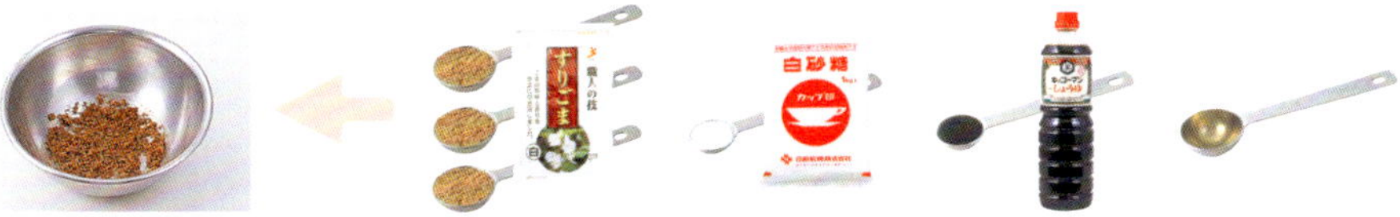

ボールにすりごま大さじ3、砂糖小さじ1、しょうゆ小さじ1、
だし大さじ1を合わせてよく混ぜる。＊4

14

食べる直前に、がコツ。
時間をおくと、ほうれんそう
から水が出て、おいしくない。

食べる直前にほうれんそうを入れ、
大きく混ぜてあえる。

＊3

Q:「しょうゆ洗い」をする
理由は?

A:こうすることで、水っぽさがとれ、あえごろもとなじみやすくなるから。

＊4

Q:自分ですりごまを作るときは?

A:すり鉢とすりこぎがあれば、ごまをいってすって作る。

・ごまをすり鉢ですると風味が格段に違う。ちなみに、黒ごまを使った場合は黒っぽくなるので、「ごまよごし」とも呼ぶ。

①いりごまは、香りを引き立てるために、フライパンに入れて弱火にかけ、混ぜながら1分ほど温める(油なし)。

②いりたてのごまを、乾いたすり鉢に入れ、よくする。すり加減はお好みだが、全体に均一にすりつぶす程度の「半ずり」が一般的。これにほかの調味料を加えて合わせ、ほうれんそうをあえる。

みず菜と油揚げの煮びたし

2人分／調理時間10分／1人分63kcal

この料理は、もとは京都のおばんざいです。
京野菜として有名だったみず菜も、今や全国区となって、
鍋に、サラダにと応用範囲の広い青菜として売られています。
鉄、カルシウム、カロテン、ビタミンCと、栄養価も高い野菜。
大豆加工食品の油揚げと合わせれば、バランスのよい副菜になります。

 難易度★　選択・判断力↗up　調理技術力↗up　理解力↗up

▼用意する道具

包丁・まな板
… 各1つ

片手鍋 … 1つ
(18cm)

やかん … 1つ

切った野菜を
入れるトレーや
調理皿 … 2つ

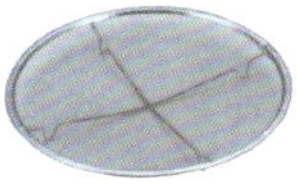

平らなざる
… 1つ

大きめのボール
… 1つ

大きめのざる
… 1つ

さい箸 … 1膳

▼用意する調味料やだし

＊2
だし
… カップ½

酒 … 大さじ1

みりん
… 大さじ½

しょうゆ
… 大さじ½

塩 … 小さじ⅛

七味とうがらし
… ひとふり

▼用意する材料

＊1
みず菜 … ½束
(100g)

↓代用可

(こまつなやかぶの葉
… 100g)

油揚げ … 1枚
(25g)

＊1
Q:みず菜の選び方と保存法は?

A:葉先までピンとしているものを選び、茎が変色しているものは避ける。

・保存は、ポリ袋に入れて野菜室。食べやすく切って、生で冷凍も(加熱して使用)。ゆでて冷凍すると筋っぽくなるので不向き。

＊2
Q:カップ½のだしをとるには?

A:方法①耐熱容器に水カップ½強とけずりかつお2〜3gを入れて、電子レンジで約1分半加熱し、茶こしでこす。

方法②湯カップ½に、粉末のだしの素(量は表示に従う)を溶かす。

▼1　やかんで湯をわかしておきます（油揚げの油抜き用）。

▼みず菜を洗って、4～5㎝長さに切ります。

2

みず菜100gは葉を広げるようにして、根元や葉の間をきれいに洗う。
ざるにあげて水気をきる。

3

根元を切り落とし、4～5㎝長さに切る。（トレーなどに移す）

▼油揚げは油抜きして、1㎝幅に切ります。

4

油揚げ1枚は熱湯をかけて油抜きする。＊1

5

半分に切って、重ねる。端から1㎝幅の細切りにする。＊2（トレーなどに移す）

＊1

Q:「油抜き」って何？ なぜするの？

**A:油揚げや生揚げなどの表面の油を落とす（抜く）こと。
煮ものに使うとき、油の膜を除いて味をしみやすくするのが目的。**

・昔は油くささをとる目的もあったが、今の油揚げや厚揚げは、鮮度のよい油で揚げていて、油くささはない。焼いたり、いためたり、みそ汁の具などに使うときは、そのまま使ってもかまわない。もし、気になるようなら、ペーパータオルに包んで油を吸わせる。
・いなりずし用など、よりしっかり油を抜いて味を含ませたいときは、熱湯で1分ほどゆでる。

＊2

Q:定規を使わず、長さや幅の見当をつけるには？

A:手ばかりを使う。

・たとえば、女性の場合、手の中の3本指の幅がほぼ4～5㎝。小指のつめの長さが約1㎝。
自分の手や指の長さを覚えておけば、めやすで切ることができる。（⇒P.198）

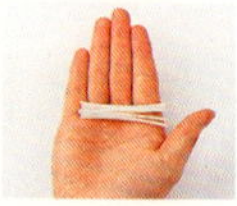

▼鍋に調味料を合わせて、材料を短時間煮ます。

6

鍋に、だしカップ½、酒大さじ1、みりん大さじ½、しょうゆ大さじ½、塩小さじ⅛＊3を入れて強火にかける。

7

短時間なので
ふたはしない！

煮立ったら、油揚げを入れて
中火にして1分ほど煮る。

8

みず菜は煮えにくい根元から加える。さい箸で混ぜながら1〜2分煮て、
みず菜がくたっとしたら火を止める。

＊3
Q:塩小さじ⅛のはかり方は？
A:①塩小さじ1をすりきりではかる。

②2等分の線を引いて、半分を除く。(→小さじ½)

③平らにならし、さらに2等分して、半分を除く。(→小さじ¼)

④平らにならし、さらに2等分して、半分を除く。(→小さじ⅛)

▼盛りつけて、七味をふります。

9

煮汁ごと器に盛り、七味とうがらしを一度手のひらに出してから、ふる。
びん入りの調味料を温かいものに直接ふり入れるのは×。湯気でびんの中身がしけてしまうから。

まぐろとアボカドのやまかけ

2人分／調理時間15分／1人分202kcal

酒の肴として、味も栄養バランスも理想的な1品。
長いもはポリ袋に入れてたたいてくだく方法なので、
手もかゆくならずに、かんたんです。

＊1
Q:皮むき器って何?
A:野菜の皮をむくのに便利な道具。ピーラーともいう。

＊2
Q:アボカド1/2個はどう切る? 皮はどうむくの?
A:

①まん中の種に当たるように包丁を入れ、縦に1周ぐるりと切りこみを入れる。

②両手で持ってねじる。

③2つに分ける。

④包丁の刃元を種に刺して種をとる。(スプーンの柄を実と種の間に入れてとっても)。

⑤皮をむく(熟していればするりとむける。むきにくければ、包丁で実を切ってからむく)。

⑥断面にレモン汁をふっておくと、変色が防げる。残りはラップで密閉して保存。

難易度★　選択・判断力↗up　調理技術力↗up　段どり力↗up

▼用意する道具

包丁・まな板
… 各1つ

＊1
皮むき器 … 1つ

ボール … 1つ

厚手のポリ袋
… 1枚

タオルを巻いた
ラップ（の芯）※
… 1つ

or

※あればすりこぎや
めん棒、びんなど

スプーン … 1つ

▼用意する材料

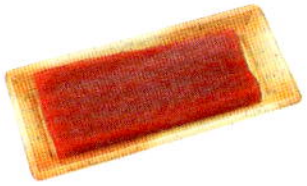
まぐろ刺し身用
さく … 150g

↓代用可

（

まぐろ刺し身用
角切り … 150g
）

＊2
アボカド … ½個
（レモン汁をふっておく）

長いも … 100g

↓代用可

（

いちょういも
… 100g
）

▼用意する調味料

練りわさび
… しぼり出して
約1.5㎝（小さじ¼）

しょうゆ
… 大さじ1

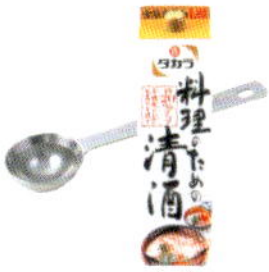

酒 … 大さじ½

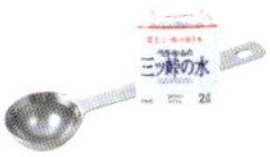
水 … 大さじ½

▼ 調味液を先に作っておきます。

1

練りわさび約1.5cm（刺し身についてくるわさびをそのまま使ってもよい）、しょうゆ大さじ1、酒大さじ½、水大さじ½をボールに合わせる。

▼ まぐろとアボカドは、ほぼ同じ大きさに切り、あえます。

2

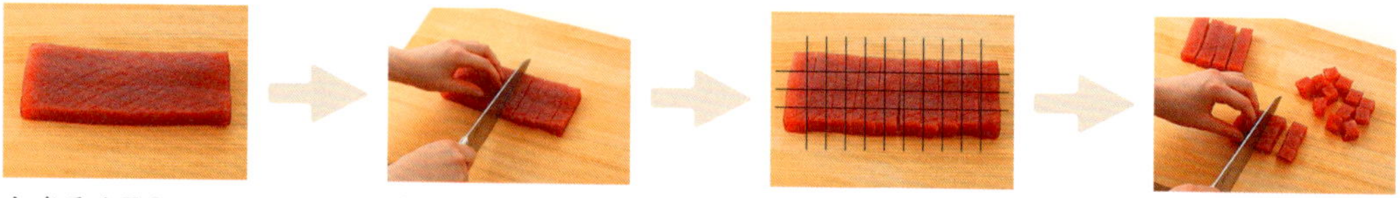

まぐろ150g＊1は1.5cm幅に切り、向きをかえて数切れずつ端から1.5cmに切る。（こうすると1.5cm角に切れる。最初から切ってあるものならそのまま使う）

3

1のボールに入れる。

4

アボカド½個＊2は、まぐろの大きさに合わせて切る。

5

3のボールにアボカドを加えて、くずれないように注意して混ぜる。

▼ 長いもはポリ袋の中でたたいて、くだきます。

6

長いも100gは皮むき器で皮をむく。

7

ポリ袋に入れて、ラップの芯でたたいて、あらくつぶす。

＊1
Q:まぐろのさくの選び方は?

A:さくは筋目が平行に近いものが良品。「赤身」はまぐろの中心部に近い身で、皮側になるにつれて「中トロ」や「大トロ」と脂がのった身になる。

＊2
**Q:アボカドの選び方と
食べごろは?**

A:球体というよりも、きれいに片方が広がっている楕円形のものを選ぶ。

・写真のように、皮が黒く、持ってみて少し弾力のあるものが食べごろ。
・皮が緑で、かたいものは未熟なので、常温に数日おいてから食べるとよい。逆に熟しすぎると果肉に黒い筋が入る。
・食べごろが短い果物なので、残った半分も早く食べきろう。
・使いきる料理としては、ヨーグルトやサラダに入れて。または、フォークでつぶしてレモン汁小さじ½と塩小さじ⅛、こしょうひとふりを加えてよく混ぜてアボカドディップにしても。

＊3
Q:塩小さじ⅛のはかり方は?

A:

①塩小さじ1をすりきりではかる。

②2等分の線を引いて、半分を除く。(→小さじ½)

**③平らにならし、2等分し、半分を除く。
(→小さじ¼)**

**④平らにならし、さらに2等分して、半分を除く。
(→小さじ⅛)**

・塩小さじ⅛は、多くのレシピでは、「塩少少」と表示されている。小さじではかるのがめんどうな場合は、親指と人さし指の2本でつまんだ量と覚えておこう。

▼器に盛ります。

8

器にまぐろとアボカドを盛り、
上から長いもをかける。

よく混ぜて食べるとおいしい!

【応用力をつける!】まぐろとアボカドのタルタル風(2人分)

まぐろとアボカドをイタリアンの調味液であえれば、
冷たい白ワインにぴったりのおつまみに!

1 まぐろとアボカドの切り方は左ページと同じ。

2

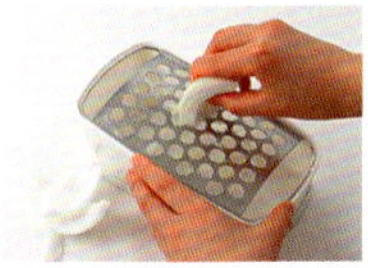

たまねぎ50gをすりおろし、オリーブ油大さじ½、
レモン汁小さじ½、塩小さじ⅛＊3、
こしょうひとふりをボールに合わせる。

3

まぐろをボールに入れてあえる。
アボカドを加えてくずさないように混ぜる。

4

皿に盛って、
(あれば)イタリアンパセリを飾り、
クラッカーを添える。

1人分 233kcal(クラッカー、パセリ除く)

あさりの酒蒸し

2人分／調理時間10分（砂抜き時間を除く）／1人分19 kcal

フライパンか鍋で、かんたんに、失敗なく作れます。
包丁やまな板も必要なし!
ただし、調理前に、
あさりの「砂抜き（砂出し）」という作業があります。

*1
Q:あさりの選び方と保存法は?

A:さわってすぐ閉じるものが新鮮。パック詰めのものは酸素が限られるので、時間とともに弱ってくる。早めに砂抜きをして使いきること。

・すぐ使わないときは、砂抜きをしてよく洗ってから水気をふき、保存袋に入れて冷凍。
解凍すると脱水しておいしくないので、凍ったまま加熱調理（みそ汁などに使おう）。充分火を通して使う。

*2
Q:にんにく小1片はどのくらい?

A:約5g。小さめの1片（左）。1片は約10gなので、半分に切って（右）使ってもよい。

*3
Q:パセリ1枝はどのくらい?

A:これが1枝。飾りや薬味として使う場合は、葉の部分だけをちぎったり、みじん切りにしたりして使うことが多い。

難易度★　選択・判断力↗up　段どり力・応用力↗up

▼用意する道具

フッ素樹脂加工のフライパンまたは口径が広めの鍋…1つ

ボール…1つ

ざる…1つ

フライパンのふた…1つ

キッチンばさみ…1つ

▼用意する材料

＊1
あさり（殻つき）…250g

万能ねぎ…2本

▼用意する調味料

酒…大さじ1

しょうゆ…小さじ½

【応用料理】 2人分／調理時間10分／1人分50kcal

あさりのペペロンチーニ

日本酒を白ワインに変えて、オリーブ油とにんにく、とうがらしの風味をきかせます。これにゆでたパスタ（パスタのゆで方はP.128～129）を加えれば、主食にもなる1品。

▼用意する道具

上の道具(はさみはなし) ＋ さい箸

▼用意する材料

あさり（殻つき）…250g
にんにく…小1片（5g） ＊2
赤とうがらし…½本
パセリ…½枝 ＊3

▼用意する調味料や油

オリーブ油…大さじ1
白ワイン…大さじ1

▼あさりの砂抜きをします。※砂抜きに時間がかかるので注意!

1

あさり250gはざるに入れてボールに入れる。
塩分3%の塩水(水カップ1に塩小さじ1の割合)を、
あさりが半分ひたる程度まで入れる。＊1

2

暗くて静かなところに置く。
あさりが吐く水が飛び散ることがあるので、
ふたをし、呼吸ができるようにすき間を少しあける。

「砂抜きずみ」として売られているものなら約30分、
そうでないものなら2〜3時間そのまま置いて、
自然に砂を吐かせる。(冷蔵庫には入れない!＊2)

▼あさりを洗って、水気をきります。

3

あさりをざるごととり出し、塩水を捨てる。
(ボールの底に吐き出された砂が落ちる)

4

ボールに水を入れ、貝を入れて
殻を何度かこすり合わせてよく洗う。

5

最後に流水で洗い、ざるにあけて水気をよくきる。

＊1
Q:貝の「砂抜き」をするとき、塩水の濃さや量にきまりはある?

A:その貝が生息している状況とほぼ同じ環境にし、かつ貝が息をできる状態にする。

・海にいるあさりやはまぐりは、海水程度の塩水(塩分約3%)、淡水と海水が混ざったところにいるしじみは、塩分約1%(水カップ1に塩小さじ1/3の割合)の塩水か真水につける。また、貝が息をできるように水量は半分ひたる程度。

＊2
Q:貝の砂抜きの際、冷蔵庫に入れてはいけないわけは?

A:冷蔵庫は温度が低くなりすぎて貝が呼吸できなくなるから。

＊3
Q:貝を蒸し煮にしても殻が開かない貝があります。

**A:別皿にとり、約1分、電子レンジにかけてみる。
それでも開かない場合は、死んでいるので、食べられない。**

▼フライパンで蒸し煮にします。

6

フライパンにあさりを
重ならないように入れ、
酒大さじ1を全体に回しかける。

7

ふたをして中火にかけ、
フライパンを軽く1〜2回
ゆすりながら、殻が開くまで、
蒸し煮にする。＊3

8

しょうゆ小さじ½を回し入れ、
すぐ火を止める。

▼ねぎを散らします。

9

あさりを器に盛る。
万能ねぎ2本を洗って、キッチンばさみで根元は切り落とし、小口に切って散らす。

※小口に切る…端から短く切ること。

【応用力をつける！】あさりのペペロンチーニ

あさりの下処理は「酒蒸し」と同じ（**1〜5**）。

6

フライパンにオリーブ油大さじ1、にんにく5g（皮はむく）、赤とうがらし½本を入れて中火で温める。

7

あさり250gを入れ、強めの中火で5〜6秒いためる。

8

白ワイン大さじ1をあさり全体に回しかけ、ふたをする。

9

1〜2回、軽くゆすりながら中火であさりの殻が開くまで蒸し煮にする。火を止める。

10

パセリ½枝の葉の部分を手でちぎって散らす。

なすのじゃこぽん酢かけ

2人分／調理時間20分／1人分104kcal

なすとじゃこ、サラダ油の相性が抜群。
ぽん酢しょうゆの酸味もあって、酒もごはんもすすみます。
しかも、フライパンひとつでできるかんたんさ。
じゃこにとうがらしをプラスして、ピリ辛にしてもうまい！

難易度★　選択・判断力↗up　調理技術力↗up　理解力↗up

▼用意する道具

包丁・まな板
…各1つ

フッ素樹脂加工
のフライパン
…1つ

さい箸…1膳

小さめのボール
…1つ

小さめのざる
…1つ

ペーパータオル

▼用意する材料

＊1
なす…2個
（140g）

しその葉…4枚

↓代用可

（万能ねぎ…2本）

＊2
ちりめんじゃこ
…大さじ1（5g）

▼用意する調味料や油

サラダ油…
大さじ1+小さじ1

ぽん酢しょうゆ
…大さじ1

酒または水
…大さじ½

＊1
Q：なすの選び方、保存法は？

A：新鮮ななすは、へたのとげが痛いくらい張っていて、皮の色が濃く、張り、つや、重みがある。低温に弱いので、ポリ袋に入れて冷暗所（夏は野菜室）に。冷凍には向かない。

<おもななす3種>

米（べい）なす　長なす　卵形なす

＊ここは、卵形なすを使っています。

＊2
Q：ちりめんじゃこと しらす干しって違うもの？

A：もとは同じもの。いわしの3㎝以下の稚魚をゆでたものが釜あげしらす、それを干したのがしらす干し、しらす干しをよく乾燥させたものがちりめんじゃこ。ここでは油とよくなじむちりめんじゃこを使う。

・ちなみに大きめのものを、かえりじゃこと呼ぶこともあり、もっと大きくなると煮干し（いりこ）になる。ゆでずに干したものが、おせち料理に使う田作り（ごまめ）。

▼しそはせん切り、なすは切り目を入れて切ります。

1

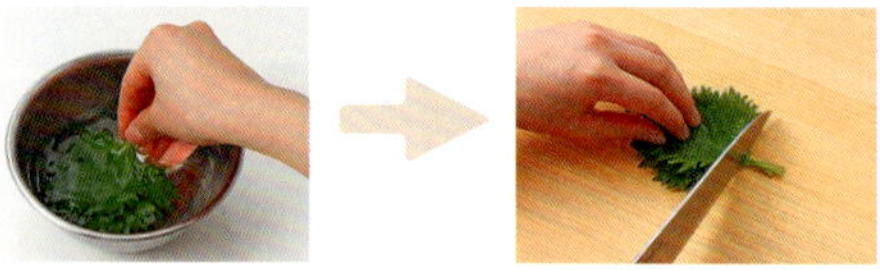

しそ4枚はボールの水でふり洗いし、軸を切りとる。

2

重ねて丸め、端から細く切り(⇒せん切り)、水に1～2秒さらす。＊1

3

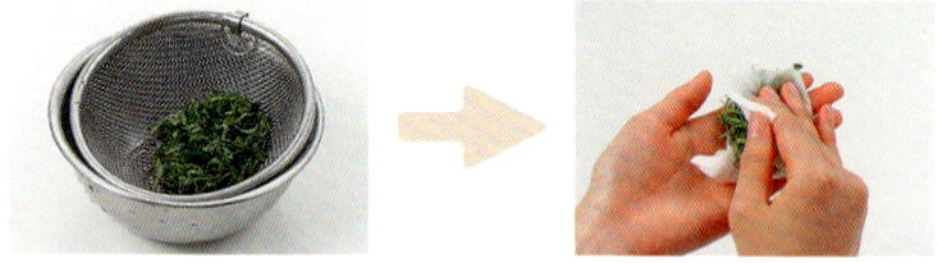

ざるにとって水気をきる。
さらに、ペーパータオルで水気をふくと、ほぐれて盛りつけやすい。

4

なす2個はへたを切りとり、がくをとる。縦半分に切る。＊2

5

こうすることで味がしみやすくなる。

厚みの⅓の深さまで5～6㎜間隔で斜めに切り目を入れる。

6

3㎝幅に切る(切り目を入れながら、切っていってもよい)。＊3

＊1

Q:しそを水にさらすのはなぜ?

A:しそのアク(にが味、えぐ味など)を抜いて食べやすくするため。ただし、長く水につけると栄養分も抜けるので、さっと。また、えぐ味の少ない若い葉なら、必ずしもさらさなくてもよい。

Q:しその代わりに万能ねぎを使うときは?

A:根元を切り落とし、端から短く切る(小口切り)。P.45の9のように、キッチンばさみで切ってもよい。

＊2

Q:なすのへたとがくってどこ?

A:

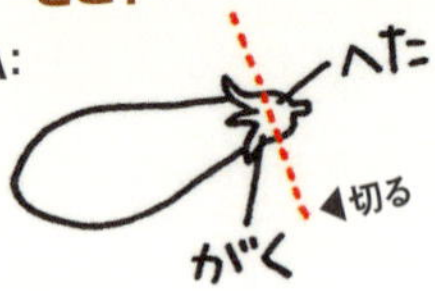

＊3

Q:なすは切ったら水につけてアクを抜かなくてよいのですか?

A:油で調理するときは、水につけない。

・なすはアクが強く、空気にふれると変色するので、切ったらすぐ水につけるのが基本(ただし、1～2分。あまり長くつけないこと)。だが、油で揚げたり、いためたりするときは例外で、水にはつけないですぐ調理する。というのも、油で調理すると、なすのアクは甘味に変わるから。なすが油と相性がよく、おいしい理由でもある。

▼なすをフライパンでしんなりするまで焼きます。

7

フライパンに油大さじ1を入れて中火にかける。

8

なすの皮を下にして並べ、2分ほど焼き、
裏返してしんなりするまで3～4分焼く。
（この間に、ぽん酢しょうゆ大さじ1と
酒（または水）大さじ$\frac{1}{2}$をボールに合わせておく）。

9

火を止め、
なすを器に盛りつける。

▼同じフライパンで、じゃこぽん酢しょうゆを作ります。

10

瞬間、パチパチはねるので、注意！

フライパンにサラダ油小さじ1と
ちりめんじゃこ大さじ1を入れて弱火にかける。

11

フライパンを軽くゆすりながら混ぜ、
じゃこがカリッとしたら、合わせておいた
ぽん酢しょうゆと酒を入れて火を止める。

12

なすの上からじゃこ
ぽん酢しょうゆをかけ、
しそをのせる。

かぼちゃの煮もの

2人分／調理時間 20 分／1人分 146 kcal

シンプルな野菜の煮ものは、なつかしいかあさんの味。
これができれば、料理初級はまずは合格点です。
かぼちゃはかたいので、切るときにはくれぐれも慎重に。
煮くずれず、きれいな仕上がりにするための「面とり」もマスターしましょう。

難易度★　選択・判断力↗up　調理技術力↗up　理解力↗up

▼用意する道具

包丁・まな板
…各1つ

スプーン…1つ

＊1
皮むき器…1つ

片手鍋…1つ
（18㎝）

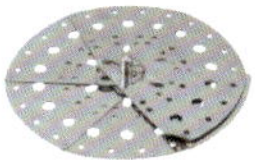

＊2
落としぶた…1つ

竹串または
つまようじなど
…1本

▼用意する材料

＊3
かぼちゃ…¼個
（300g）

▼用意する調味料など

水…カップ1

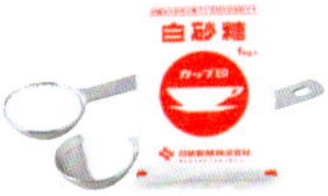

砂糖…大さじ1½

塩…小さじ⅛

しょうゆ…小さじ1

＊1
Q:皮むき器って何？

A:じゃがいもをはじめ野菜の皮をむくのに便利な道具。ピーラーともいう。

・初心者は野菜の皮を包丁でむくのはこわいし、むずかしいもの。1つあると便利。ここでは面とりに使う。

＊2
Q:落としぶたって何？

A:煮ものをするとき、材料の上に直接のせる、鍋の口径よりひとまわり小さいふた。

・鍋の中にすっぽり落とすので、この名がある。
・写真のステンレスの落としぶたのように、鍋に合わせて口径が調整できるものがおすすめ。

Q:落としぶたがない場合は？

A:アルミホイルで代用できる。

①鍋の口径より少し小さめにアルミホイルを折り、4〜5か所穴をあける。
②煮汁が沸とうしたら、落としぶたと同じようにして使う。

＊3
Q:かぼちゃの選び方は？

A:選ぶときは、重くてかたいもの。切ったものは、切り口の色が濃く、身が厚いものを選ぶ。

・使いかけを保存するときは、しっかりラップで包み、野菜室へ。4〜5日で食べきる。3日以上保存するときは、いたみやすいわたと種をとる。

▼ かぼちゃは、実の側から切る。かたいので、気をつけて!

1

かぼちゃ300gは種とわたをスプーン（計量スプーンでもOK）でこそげとる。

2

皮側はかたいので、必ず実の側から包丁を入れる。まず、切りこみを入れてから、切るとよい

かぼちゃの実の側に包丁をゆっくり入れる。＊1左手（右利きの場合）で包丁のミネ（背）を押さえ、包丁の柄をぐっと下に下げて、2つに切る。

3

かたいへたの部分を切り落とし、かぼちゃがぐらぐらしないように包丁のミネに手を添えながら、食べやすい大きさに切る。

4

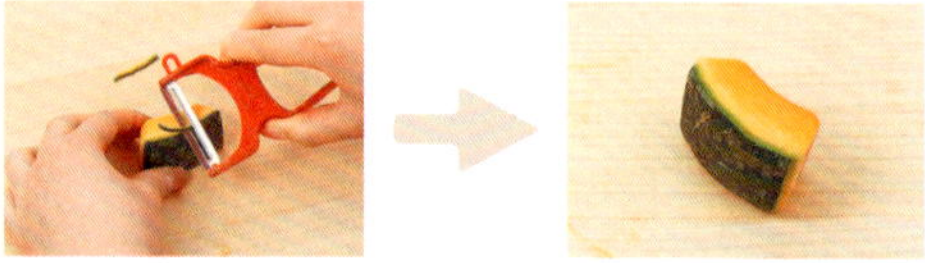

切り口に沿って皮むき器を動かし、角を少しけずりとり、丸くする（⇒面とり＊2）

5

味がしみやすく、見た目もきれい。

皮をところどころむくように、切り落とす。

＊1

Q:かたいかぼちゃ。切りやすくする裏ワザは?

A:かぼちゃをラップで包み、電子レンジに40〜50秒かける。包丁が入りやすいかたさになるので、切りやすい。

＊2

Q:「面とり」って何?

A:切り口の角を少しけずりとること。かぼちゃ、にんじん、いも類などを煮るときにする下ごしらえのひとつ。

・形を整えるだけでなく、切り口のとがった角からの煮くずれが防げる。皮むき器がなければ包丁で（難易度★★）。

▼先に水と砂糖で煮て、しょうゆと塩はあとから入れます。＊3

6

鍋（かぼちゃが重ならず、ひと並べに入る鍋）にかぼちゃの皮を下にして入れ、水カップ1と砂糖大さじ$1\frac{1}{2}$を入れて強火にかける。

かぼちゃの内側はやわらかく煮くずれしやすいので、必ず皮を下にして並べ入れる。重ねない！

7

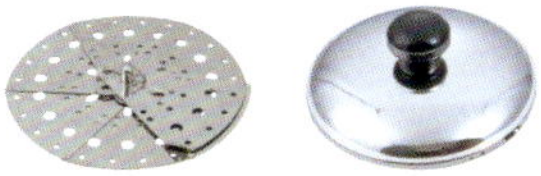

沸とうしたら、落としぶたと鍋のふたをして、弱めの中火で5分ほど煮る。＊4

8

塩小さじ$\frac{1}{8}$としょうゆ小さじ1を加え、落としぶたと鍋のふたをして約5分煮る。煮汁がほぼなくなればできあがり。

9

竹串などを刺してみて、やわらかく煮えたかどうか確認して、火を止める。

10 そのままさまして煮汁を中までしみこませる。

＊3

Q：調味料の「さしすせそ」って何？

A：「さ」は砂糖・酒、「し」は塩、「す」は酢、「せ」はしょうゆ、「そ」はみそのこと。調理では味つけの順番（あくまで原則）としてよく言われる。

・最初に砂糖を入れるのは、素材をやわらかくして、ほかの調味料がしみこむのを助けるから。塩を先に入れると素材の組織をひきしめてしまい、砂糖の粒子が入りにくくなり、甘味がつきにくい。酢やしょうゆ、みそは香りを大切にする調味料なので、原則あとで入れる。

＊4

Q：なぜ、「落としぶた」をするの？

A：少ない煮汁でも、材料全体に汁がゆきわたって、均一に火を通し、煮くずれさせないため。

・煮ものをするとき、煮汁が多すぎると、素材のうま味や栄養分が汁に溶け出てしまう。でも、汁が少ないと汁より上の部分が煮えず、味も充分にしみこまない。ところが、落としぶたをすれば、沸とうした汁はふたの面まで上がってきて当たって落ちて煮汁が材料全体にゆきわたり、均一に煮える。

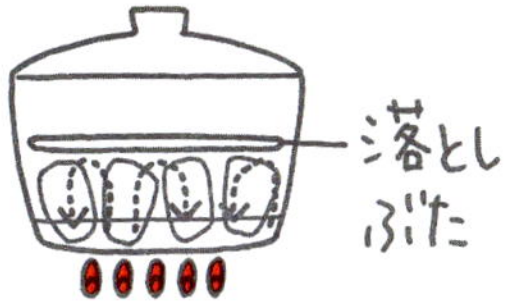

しかも、汁から上の材料の温度が下がらず、表面が乾くこともなく、材料が浮いたり動いたりもしないので、煮くずれの心配も減る。

きんぴらごぼう

2人分／調理時間**20**分／1人分**130**kcal

酒の肴にも、ごはんの友にもぴったり。
作っておくと重宝する、定番中の定番です。
ごぼうのせん切りは、かんたんな切り方を教えます。
倍量作っておいてもよいでしょう（⇒冷蔵庫で約3日保存可）。

 難易度★　選択・判断力↗up　調理技術力↗up

▼用意する道具

包丁・まな板
…各1つ

キッチンばさみ
…1つ

＊1
たわし…1つ

ボール（中・小）
…各1つ

ざる…1つ

フッ素樹脂加工
の深型フライパン
…1つ

さい箸…1膳

調理皿…1つ

▼用意する材料

＊2
ごぼう…½本
（100g）

＊3
にんじん（5cm長さ）
…50g

赤とうがらし（小）
…1本

いりごま（白）
…小さじ1

▼用意する調味料や油

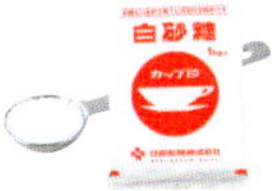

砂糖…大さじ1

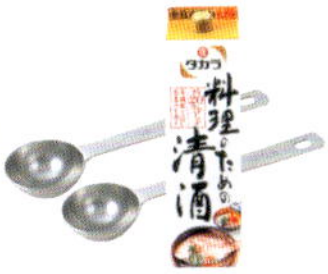

酒…大さじ2

しょうゆ…大さじ1

ごま油…大さじ1

※よりコクとつやのあるきんぴらに
したい場合は、みりんを加える。
その際の調味料の分量は、
砂糖…大さじ½
酒　…大さじ1
みりん…大さじ1
しょうゆ…大さじ1
を、作り方7で合わせる。

＊1
Q:泥つきのごぼうは、どう洗う？

A:たわしで洗うときれいになる。もし、たわしがないときは、アルミホイルをクシャクシャに丸めたもので洗うとよい。

・泥がついていないごぼうは、流水で洗えばOK。

＊2
Q:ごぼうの選び方と保存法は？

A:全体の太さが極端に違わない、すらりとしたものを選ぶ。ひび割れのあるものは芯がスカスカしている。太いほうが黒ずんでいるのは古いので選ばない。

・泥つきは新聞紙かポリ袋に包んで冷暗所で保存。洗ったものはラップで包み、ポリ袋に入れて野菜室へ。

＊3
Q:にんじんの選び方と保存法は？

A:表面がなめらかで葉元まできれいなオレンジ色。芯の直径が小さいもの。

・使いかけは、水気をふいてラップで包んで野菜室へ。
・なお、にんじんを彩りとして入れるときには、色が目立つため、ごぼうより量を少なく（ごぼうの半量以下に）する。

＊1
Q:赤とうがらしの形をくずさず切るにはどうすればよい?

A:5分ほど水につけて、やわらかくしてから切る。

・赤とうがらしは、赤く色づいたとうがらしを乾燥させて作る。そのまま輪切り(小口切り)にすると、割れてしまってきれいな輪にならないので、水につけてやわらかくしてから切る。種も、水の中でもみ出すようにすると、無理なくとれる。

＊2
Q:包丁のミネとはどこ?

A:包丁の背の部分。

・包丁の部位と使いみちは以下の通り。

＊3
Q:切ったごぼうを水にさらすのはなぜ?

A:切るとアク(えぐみなど)で黒ずむから。切ったそばからすぐ水にさらす。が、せっかくの栄養やうま味成分も逃げるので水にさらす時間は最小限に。

▼下準備

1

赤とうがらし小1本は5分ほど水につけ、もみ出すようにして種をとり、キッチンばさみで小口切りにする。＊1

2

ごぼう100gは水を流しながらたわしで洗い、包丁の背(ミネ)＊2で皮を薄くこすりとる。

※皮の近くが香りがあっておいしいので、こすってこそげる程度で。ただ、たわしでごしごし洗って皮もこそげた状態になっていれば、さらに皮はむかない。新ごぼうも、皮が薄いのでこそげない。

▼ごぼうは、斜め薄切りにしてからせん切りにします。

3

ごぼうは5cm長さの斜め薄切りにする。

指2関節分が4～5cm。これをめやすに切る。

4

薄切りを少しずつずらして重ね、端から細切りにする。切るそばから水にさらして、ざるにあけて水気をきる。＊3

▼にんじんもごぼうとほぼ同じ長さ・太さに切ります。

5

にんじん50g(約5cm長さ)は洗って、繊維に平行に置き、端を切る。その切り口を下にして安定させる。90度まわして置く。

6

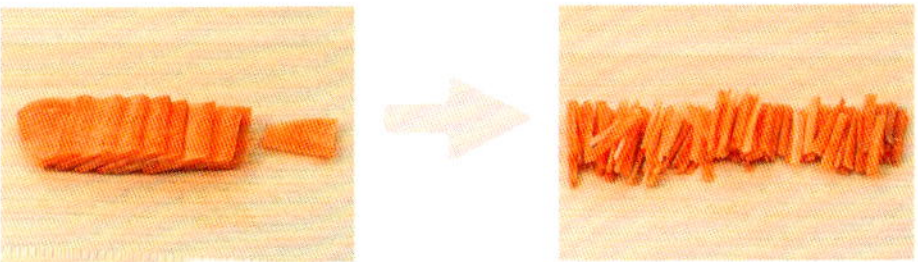

繊維に平行に縦に薄く切り、少しずつずらして重ね、端から切って細切りにする。＊4、5

▼いため始めましょう。

7

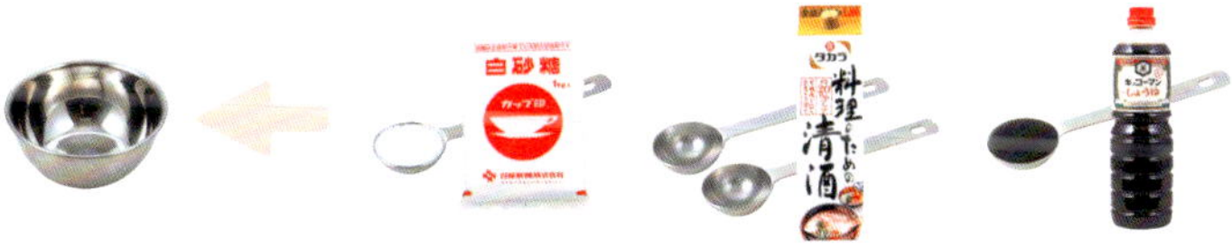

砂糖大さじ1、酒大さじ2、しょうゆ大さじ1をボールに合わせておく。

8

フライパンにごま油大さじ1を入れて強めの中火にかける。ごぼうとにんじんを入れていためる。

9

ごぼうがしんなりしたら、7の調味料を加えて中火にする。

10

＊6
汁気がなくなるまでいため、とうがらし、ごま小さじ1を入れて混ぜ、火を止める。

＊4
Q:「繊維に平行に切る」とはどういう意味？

A:野菜の根から葉に向かって縦方向に走っているのが繊維。それを断ち切らないように切るという意味。

・食べるときに繊維を歯で噛み切るので、シャキシャキした食感になる。料理力上級者は、ごぼうもにんじんの切り方（ただし、にんじんより細いせん切り）で切ろう。

＊5
Q:にんじんの皮はむく？むかない？

A:むかなくてもよいが、食感が気になるならむく。

・スーパーなどで通常売られているきれいなにんじんは、皮がこすりとれた状態。

（左:洗浄処理していない、泥つきのにんじん／右:洗浄ずみの、ふだんよく売られているにんじん）

・皮だと思っているのは、皮のすぐ内側にある「内鞘細胞」という組織。カロテンやポリフェノールなどをたくさん含んでいる。ここで使うのは少量。よく洗えばOK。
・内鞘細胞が残っていても、料理の色には（きんぴらではなおさら）影響はあまりない。ただ、表面のざらつきが口に残ることも。シチューなどに使う際気になるなら、皮むき器で薄くむく。

＊6
Q:最初から赤とうがらしも一緒にいためたら？

A:最初からごぼう、にんじんと一緒にいためると、とうがらしの辛味が強く出る。もし、辛いのが好きなら、8の段階でとうがらしも一緒に入れるとよい。

ほたてと野菜のホイル焼き

2人分／調理時間**30**分／1人分**111** kcal

ほたてと野菜のうま味が一緒に活かされた1品。
栄養的にも◎、です。
材料を合わせて、アルミホイルに包んでオーブントースターで焼くだけ。
オーブンやグリルでも作れます。

 難易度★　選択・判断力↗up　調理技術力↗up

▼用意する道具

包丁・まな板
…各1つ

ボール…1つ

ざる…1つ

さい箸…1つ

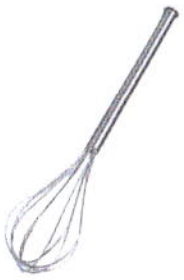

あれば、
泡立て器(ミニ)
…1つ

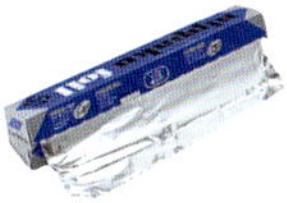

アルミホイル…
約25×30㎝を2枚
※オーブントースター皿に
合わせて調整すること

オーブントースター
または、
グリルやオーブン

▼用意する材料

＊1
ほたて貝柱・
刺し身用…4個
(100g)

たまねぎ…1/4個
(50g)

グリーン
アスパラガス
…2本(40g)

しめじ…1/2パック
(50g)

ミニトマト…6個

＊2
にんにく…小1片
(5g)

レモン…1/2個

▼用意する調味料や油

白ワインまたは酒
…大さじ1

＊3
塩…小さじ1/8

こしょう
…ひとふり

オリーブ油
またはサラダ油
…大さじ1/2

＜食べるときに＞

しょうゆ
…2〜4滴

＊1
Q:ほたて貝柱に多く含まれる栄養素は?

A:たんぱく質、ミネラル、タウリンが豊富。しかも低脂肪。多くの野菜と一緒にしたこの1品は理想的な酒の肴といえる。刺し身(生食)用がなければ、ボイルほたてでも代用できる。

＊2
Q:にんにく小1片ってどのくらい?

A:約5g。小さい1片がない場合は、1片(10g)を半分に切って使うこと。

＊3
Q:塩小さじ1/8と塩少々は、どちらが多い?

A:ほぼ同じ、と考えてよい。多くのレシピで「塩少々」とあるのを、あえてめやすとしてはかると、塩小さじ1/8。料理力がついてきたら、親指と人さし指の2本でつまんだくらいの量と覚えておき、はからなくても作れるようになろう。

▼ 野菜を準備します。

1

しめじ以外の野菜は洗って水気をきる。
しめじは汚れがあれば、ふきんでふく。

2

たまねぎ50gは、皮をむいて
根元を切り落とし、2つに切る。

3

アスパラガス2本は根元を切り落とし＊1、穂先部分は4～5cm、残りは2～3cm長さに切る。

4

しめじ50gは根元を切り落とし、手で小さな房に分ける。

5

にんにく5gは根元を切り落として皮をむき、薄切りにする。

6

レモン1/2個は薄い輪切りを2枚とり、それを半分に切って
半月切り4枚にする＊2。残りは2つに切る（食べるときにしぼる）。

＊1
Q:アスパラガスの根元を切り落とすのはなぜ?

A:かたく、食感が悪いから。

・採りたてのアスパラガスなら、根元までやわらかいが、売っているものの多くは切り口の根元がかたい。1～2cmも切り落とすのがもったいない場合は、切り口少しを切り落として、根元のかたい皮の部分は右の写真のようにむいて使ってもよい。

＊2
Q:「半月切り」ってどんな切り方?

A:満月が丸なら、その半分が半月。輪切りにしたものを半分に切れば、半月切りになる。

▼ 調味料に材料を入れてあえ、アルミホイルで包んで焼きます。

7

ボールに、白ワイン（または酒）大さじ1、塩小さじ1/8、こしょうひとふり、
オリーブ油（またはサラダ油）大さじ1/2の順に加えて泡立て器（またはさい箸）でよく混ぜる。＊3

8

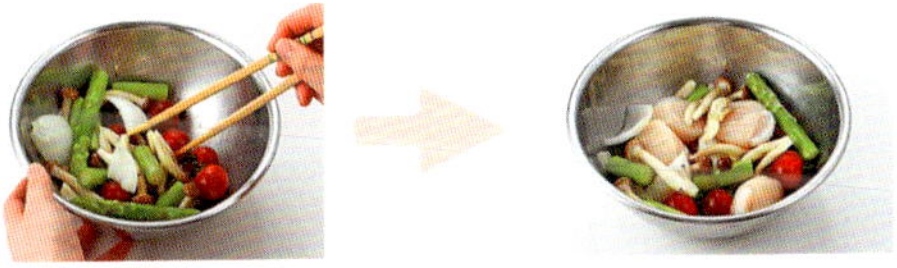

レモン以外の野菜とほたてを入れて全体を大きく混ぜ、
まんべんなく味がつくようにする。

9

アルミホイルの中央に、均等に分け入れ、残った汁もかける。
レモンの半月切りをそれぞれ2枚ずつのせる。

10

オーブントースターの受け皿に2包みがのる大きさに包む。

11

オーブントースターに入れ、
約20分、焼く。＊4途中で
切れたら、再スイッチ。

**ホイルを少し開けてみて、
野菜がしんなりしていれば食べごろ。**

12 食べるときは、レモンをしぼって、しょうゆを1～2滴たらす。

＊3
Q：調味料を合わせるとき、油は最後に入れるのはなぜ？

A：塩は油に混ざりにくいので、先にワインによくとかしてから、最後に油。油は少しずつ加えながらよく混ぜることで、分離しにくくなる（ドレッシングの場合）。

・この料理では、野菜に味がしっかりつけばよいので、先に野菜とほたてをボールに入れ、そこに油を入れて全体を混ぜてから、ワイン、塩、こしょうを加えてからめてもよい。

＊4
Q：オーブントースター以外で焼くときの温度、火加減、時間は？

**A：【電気オーブンなら】230℃で約15～18分（ガスオーブンなら210℃）
【グリルなら】予熱し、中火で約10分**

ささみとえのきのレンジ蒸し 梅じょうゆ添え

2人分／調理時間15分／1人分43kcal

電子レンジを使いこなせれば、料理力もぐんとあがります。
そして、電子レンジがいちばん得意とする料理が、とり肉の酒蒸し。
ここでは、高たんぱく・低カロリーのささみを使って作りましょう。
これをマスターすれば、味つけを変えて、バリエーションも自由自在。

難易度★　選択・判断力↗up　調理技術力↗up　段どり力・応用力↗up

▼用意する道具

包丁・まな板
…各1つ

＊1
電子レンジに
入れられる皿
…1つ

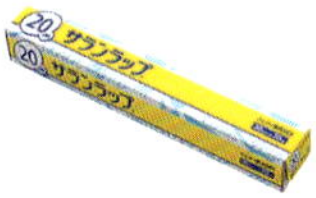
ラップ

電子レンジ

小さめのボール
…1つ

さい箸…1膳

▼用意する材料

＊2
とりささみ…1本
（50～60g）

えのきだけ
…½袋（50g）

みつば
…スポンジ1個分
（25g）

▼用意する調味料

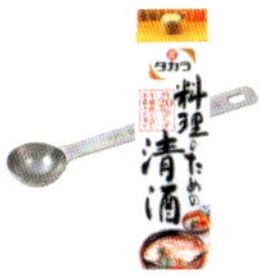
酒…小さじ1

＊3
塩…小さじ⅛

梅ペースト
…しぼり出して
約3cm（小さじ½）
（または梅干し…大¼個）

みりん
…小さじ1

しょうゆ
…小さじ½～1

＊1
Q:電子レンジに入れてよい器、入れてはだめな器は？

A:電子レンジには、電波を通す器を使う。最適なのは、①耐熱ガラス製容器②オーブン用陶磁器。レンジ用のプラスチック容器やふつうの陶磁器も使えるが、油脂や糖分の多い材料を加熱する場合や、5分以上加熱する場合は、①②の容器が安心。

・入れてはいけない器は、アルミやステンレスなど金属容器（電波を通さない）、金銀の線やもようの入った容器（火花が飛び、変色する）、ふつうのガラス製品やひびもようの器（割れることがある）、漆器（塗りがはげたり、ひびが入る）など。

＊2
Q:ささみって、とりのどの部分の肉？

A:むねの内側に2本ついている。笹の葉の形をしているので、この名がついた。部位の中ではいちばんやわらかく、淡泊な味。たんぱく質はとり肉の中で最も多いが、脂肪はほとんどないヘルシーな素材。

＊3
Q:塩小さじ⅛はどうはかる？

A:

①塩小さじ1をすりきりではかる。

②2等分の線を引いて、半分を除く。（→小さじ½）

③平らにならし、2等分して、半分を除く。（→小さじ¼）

④平らにならし、さらに2等分して、半分を除く。（→小さじ⅛）

・ここでは、使いやすいように、酒小さじ1と塩小さじ⅛を合わせておくこと。

＊1

Q:ラップの片側をあけるのはなぜ?

A:ぴったりとラップをはると、加熱の途中で破裂する危険があるから。片側をあけるか、できるだけふんわりとかける。

＊2

Q:えのきだけはどうやって洗うの?

A:きのこは水気を吸いやすいので、洗うと仕上がりが水っぽくなり、風味が落ちる。店で売られているきのこは、なめこ以外は特に洗わなくてもよいが、気になる場合は、使う直前に根元の部分を持って水の中でふり洗いする。そのあとで、根元から3〜4㎝のかたい部分（石づき）を切り落とす。

Q:残ったきのこ、冷凍保存できますか?

A:できる。きのこはいたみが早いので、すぐに使わないときは冷凍がおすすめ。

・洗わずに（水でぬらさずに）根元を除き、食べやすく切るかほぐすかして、1回分ずつラップでくるみ、保存袋に入れて冷凍する。しいたけは軸とかさを切り分けておくと使いやすい。調理するときは解凍せず、凍ったまま加熱して使う。

▼調味料を合わせてから、ささみにまぶし、電子レンジで加熱。

1

塩小さじ⅛と酒小さじ1を合わせてよく混ぜる。

2

ささみ1本を縦半分に切り、耐熱皿に離して並べ、**1**をふりかける。

3

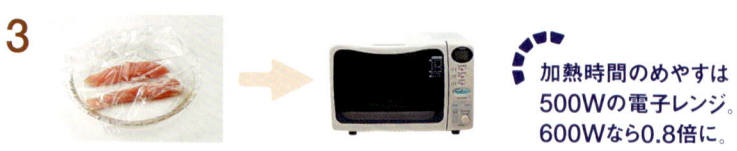

加熱時間のめやすは500Wの電子レンジ。600Wなら0.8倍に。

ラップを片側をあけてかけ＊1、電子レンジに入れて、1分30秒加熱する。ラップをかけたままおく。余熱で火が通る。

▼まな板と包丁を洗剤で洗って、野菜を切ります。

4

えのきだけ50gは根元から3〜4㎝のかたい部分（石づき）を切り落とし、長さを半分に切ってほぐす。＊2

5

みつば25gは洗って葉をつみとる。茎は根元を切り落とし、3㎝長さに切る。

▼ ささみの蒸し汁は捨てないで！野菜も電子レンジで、約1分加熱します。

6

ささみの蒸し汁を、ボールにとる（もしまだささみに赤いところが残っていたら、ラップをかけて再度、30秒ほどレンジにかけてから）。

7

ささみがさめたらラップをはずして、手でさく。このとき筋があれば、とり除く。＊3

8

皿にえのきだけとみつばの茎を入れ、ラップをかけて1分加熱。ラップをはずし、熱いうちにみつばの葉を入れて混ぜ、余熱でしんなりさせる。

9

蒸し汁のボールに梅ペースト3cm（小さじ$\frac{1}{2}$）＊4、みりん小さじ1、しょうゆ小さじ$\frac{1}{2}$を加えてよく混ぜる。味見をして、もう少し塩からいほうがよいなら、しょうゆ小さじ$\frac{1}{2}$をたす。＊5

▼ 器に盛り、梅じょうゆをかけて食べます。

10

器にささみと野菜を混ぜて盛り、梅じょうゆを添える。食べるときに、かけてあえる。

＊3

Q：ささみの筋ってどれ？

A：ささみの中ほどにある白くてかたいものが筋。最近は、筋をとって売られているものも多い。最初に筋をとるときは、以下の要領で。ここでは、酒蒸ししたあとで手でもとりやすい状況にしてからとる。

①筋の両側に、包丁の先で浅く切り目を入れる。

②筋の先をしっかり持ち、包丁を筋に当て、押しぎみにしごきながらとり除く。

＊4

Q：梅ペーストがなかったら？

A：梅干し大$\frac{1}{4}$個分（種をとったもの約5g）の果肉をこまかく切って、使う。

＊5

Q：味見のコツってありますか？

A：味見は何回もしないで、調味後と仕上げ前の2回程度。また、入れる調味料は初めはひかえめに、仕上げに調整するつもりで。

・特に塩味はさめると強く感じる。塩やしょうゆはまず、ひかえめに入れて、味をみてからたすとよい。

料理力UPコラム 1
段どり力を高めるためには?

最初によく考え、準備する、
調理中も、頭と体はフル回転。
ボケ防止、ダイエット効果もあり、と心得よう。

「料理下手」な人に共通しているのが、段どり力の不足。
調理中にアレがない、コレがない、とバタバタ、モタモタ。
「料理は疲れる、時間がかかる」と嘆いていませんか?

1.ゆきあたりばったりに料理を始めない

作る料理を決めたら、冷蔵庫をチェックしてたりないものをメモしよう。その際、スーパーの入り口から順に売り場を思い描きながら(例えば、野菜⇒肉・魚⇒卵⇒調味料などと)、買う材料を書き出すと、買い忘れ防止になる。売り場を行きつ戻りつする時間のロスも防げる。料理を始める前には、必要な道具と材料は出しておく。ボールや調理トレーを出さずに始めると、初心者は途中であたふたしがち。調理中の汚れた手で引き出しをさわったり、あわてて道具を落としたり、探す時間がかかったり…。道具と材料を確認したら、全体の手順を頭の中でなぞる。この本では見開きのチャートになっているので、何から始めればよいか、どんな作業が続くのかざっと見てから、始めよう。

2.優先順位を決めて料理を開始

つい忘れるのがごはんを炊くこと。時間がかかるので、はじめに米をセットする。①ごはんをセット⇒②湯をわかす(だしをとったり、野菜をゆでたりと、いろんな場面で使うので多めに)⇒③乾物を使うならもどす⇒④肉や魚の下味をつける、などを優先順位の上に。逆に、いためものやあえものは、食べる直前に仕上げる、と覚えておこう。

3.調理中は、あいた時間も有効活用

鍋を火にかけている間など、調理中には結構、手があくもの。そのときには使った器具を洗ってしまう、次に使う材料を洗って用意するなど、かいがいしく働こう。料理ができあがったときには、台所はほぼすっきり片づいた状態になれば上級者。温かい料理は温かく、冷たい料理は冷たく、おいしくいただけるように準備できる料理力をめざそう。

難易度★★

毎日のごはんに困らない、
定番おかずとごはん・めん、汁・鍋もの

朝、昼、夜と毎日のごはん作りに困らない定番料理をマスターしよう。

ここで出てくる料理は、難易度★よりもちょっと材料が増えてくる。
切る・焼く・いためる・ゆでる・煮るなど調理技術も増えて、段どり力も必要になってくる。

毎日、どれかの料理にチャレンジしていけば、びっくりするほど「料理力」があがり、
毎日のごはん作りが楽しくなるはず。

ベーコンエッグと野菜いため

2人分／調理時間20分／1人分182kcal

朝を制する人が人生に勝つ？　かどうかはわかりませんが、
朝、おいしいごはんを食べれば、今日も1日がんばるぞ～と元気が出るはず。
そこで、朝食の定番、目玉焼きと野菜いためにチャレンジ！
かんたんそうですが、きれいに作ろうとすると、結構むずかしいのです。

難易度★★　選択・判断力↗up　調理技術力↗up

▼用意する道具

包丁・まな板
…各1つ

スプーン…1つ

フッ素樹脂加工
のフライパン
…1つ

コーヒーカップ
…2つ

樹脂製フライ返し
…1つ

調理皿…1つ

トレー（大）
…1つ

ボール…1つ

ざる…1つ

▼用意する材料

＊1
卵…2個

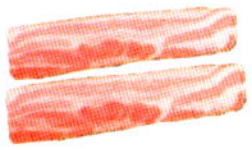

ベーコン…2枚

キャベツ…1枚
（60g）

ピーマン…1個

にんじん
（4㎝長さ）
…30g

▼用意する調味料や油

サラダ油
…小さじ½

塩…小さじ⅛

こしょう
…ひとふり

＊1

Q：賞味期限を過ぎた卵は食べることができない？

A：卵の賞味期限とは、安心して「生食できる期限」のこと。期限が過ぎたらできるだけ早く、充分加熱調理すれば食べられる。

・また、賞味期限内でも、ひびが入っている卵は生食を避け、加熱調理してから食べること。

Q：卵を冷蔵庫で保存するときは、丸いほうを上にする？それとも下にする？

A：丸みのあるほうを上、とがったほうを下にして保存する。

・とがったほうを下、丸いほう（空気の入っている気室のある側）を上にすると、中身が安定して、もちがよい。
・ケースごと保存するほうが衛生的。

Q：卵の赤玉と白玉の違いは？

A：鶏の種類による違い。栄養の差はほとんどない。

▼野菜とベーコンを切り、卵を1個ずつ割っておきます。

1

野菜は洗って、水気をきる。
卵2個は冷蔵庫から出しておく。＊1

2

塩小さじ$\frac{1}{8}$と
こしょうひとふりは
合わせておく。

3

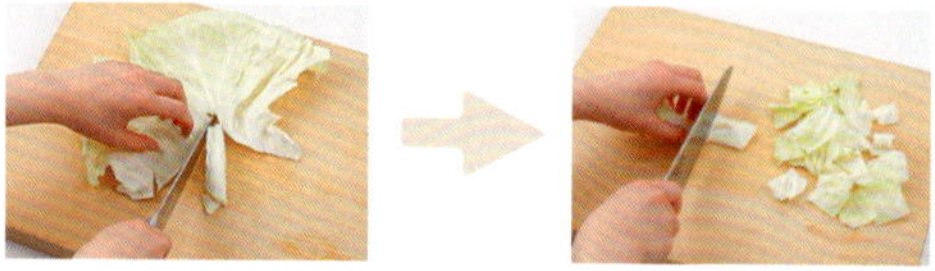

キャベツ1枚は芯をとり除き、ひと口大に切る。＊2

4

ピーマン1個は縦半分に切り、へたをスプーンでとって種をとり除く。
食べやすく切る（ここでは、縦に3等分し、斜めに3つに切る。）

5

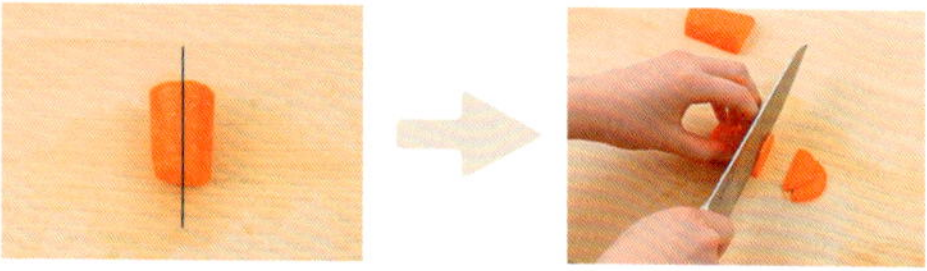

にんじん30gは縦に半分に切り、切り口を下にして、端から薄い半月切りにする。＊3

6

ベーコン2枚を半分の長さに切る。

7

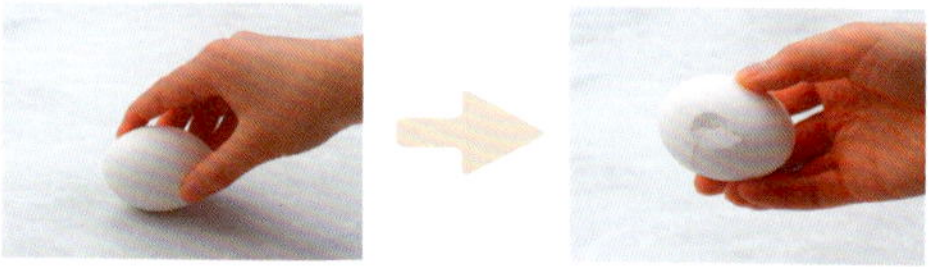

卵は、ふくらんだ中央を平らなところにコツンとあてる。へこんだようにしてひびが入ればよい。

8

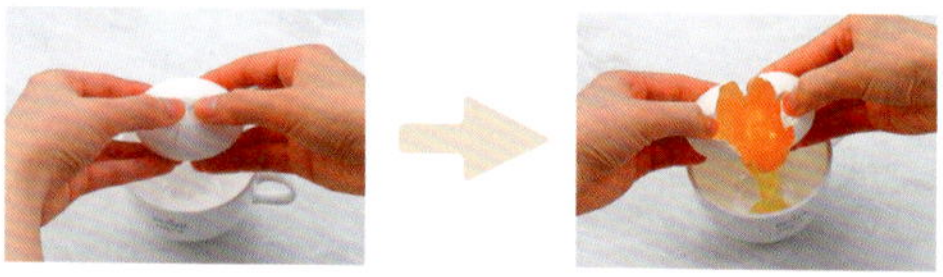

下にコーヒーカップを置き、卵のひびに両手の親指を当て、ひびを広げるようにして殻を割る。
もう1個も同じように別のカップに割り入れる。

フライパンの縁に卵をぶつけて割って直接入れると、力の加減次第では殻が深く割れて中に入ったり、黄身を傷つけてきれいにできない。ちょっとめんどうだが、初心者はまず、このひと手間をかけることで、失敗しない。

＊1
Q:卵を先に冷蔵庫から出しておくのはなぜ？

A:冷蔵庫の卵はかなり冷たくなっていて、火の通りに時間がかかるから。調理する5分ほど前には出す。

＊2
Q:キャベツの芯も料理に使うときの注意点は？

A:芯の部分はかたいので、薄く切る。

ほかの野菜と一緒にいためたり、煮たりする際、同じ時間内で火が通るようにするため。

＊3
Q:半月切りって何？

A:輪切りを半分にしたものが半月切り。

・さらに半分に切ると、「いちょう切り」（いちょうの葉の形に似ているため）。

輪切り　半月切り　いちょう切り

▼まず、野菜を中火で、手早くいためます。

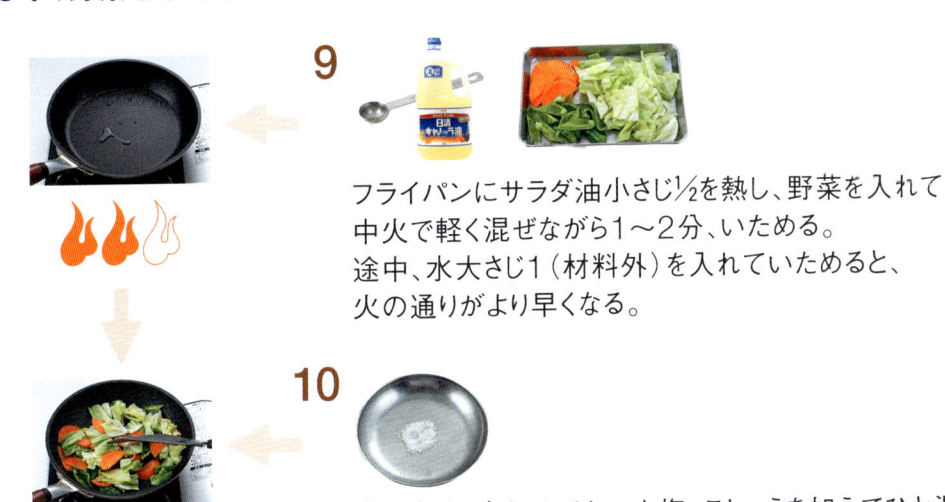

9

フライパンにサラダ油小さじ½を熱し、野菜を入れて
中火で軽く混ぜながら1〜2分、いためる。
途中、水大さじ1（材料外）を入れていためると、
火の通りがより早くなる。

10

火を止め、合わせておいた塩、こしょうを加えてひと混ぜする。
こうすることで、こげず、野菜全体にうすく味がつく。皿に盛る。

▼ベーコンと卵は弱火でじっくり焼くのがコツ。

11

ベーコンをフライパンに写真のように並べて入れ、
弱火で焼く。

フライパンのスペースを2つに区切り、
卵を入れやすくする。

12

ベーコンの脂が出てきたら、カップから
卵を静かにベーコンの内側に流し入れる。
少しフライパンをかたむけ、白身が広がりすぎず
黄身がまん中にくるようにする。

13

弱火で2〜3分じっくりと焼く。
白身のふちとベーコンが固まり、黄身が
とろっとした半熟状態になったら＊4、
フライ返しで皿にとり出す。

＊4
Q：目玉焼き、あまりとろとろに
したくないときには？

A：卵を入れたあと、白身のまわりに小さじ1〜2の水を入れて、中が見えるふたをして、黄身の表面が固まるまで弱火のままおく。

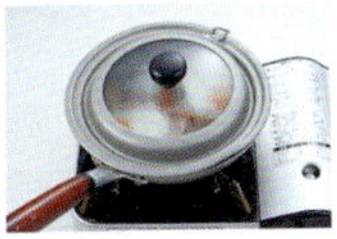

豚のしょうが焼き

2人分／調理時間**25**分／1人分**311** kcal

定食屋の人気メニューといえば、これ。
白いごはんにぴったり合うおかずです。
焼き方のコツさえつかめば、いたってかんたん！
①肉の下ごしらえ⇒②つけ合わせの野菜を用意する⇒③肉を焼く
この3つの作業を段どりよくやることで、料理力がぐんとアップします。

難易度★★　選択・判断力↗up　調理技術力↗up　段どり力↗up

▼用意する道具

包丁・まな板
… 各1つ

＊1
フッ素樹脂加工
の深型フライパン
… 1つ

さい箸 … 1膳

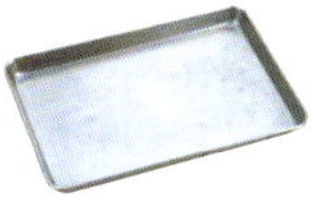

トレー（大）
… 1つ

大きめのボール
… 1つ

ざる … 1つ

おろし金（小）
… 1つ

▼用意する材料

＊2
豚肉 … 200g
（しょうが焼き用）

＊3
しょうが … 2かけ
（20g）

<つけ合わせの野菜>

レタス … 小½個
（100g）

↓代用可

（サラダ菜）

トマト … 中1個
（200g）

▼用意する調味料や油

しょうゆ
… 大さじ1½

酒 … 大さじ1

サラダ油
… 大さじ½

＊1
Q:フッ素樹脂加工のフライパンは、鉄のものと比べてどう違う？

A:
①こげつきにくい
②油の量が約半分ですむ
③高温に弱い（耐熱温度約260℃）

・しょうが焼きを失敗なく作るには、鉄よりフッ素樹脂加工のフライパンを使いたい。注意点は、から焼きや長時間の強火は避け、金属のへらは×。さい箸や樹脂製のフライ返しを使うこと。

＊2
Q:しょうが焼き用の豚肉の選び方のポイントは？

A:①脂肪が適度についているロースや肩ロースが向く。脂身は、きれいな白色。赤身は、色が鮮やかできめが細かく、つやがあるもの。
②しょうが焼き用の薄切り、せいぜい厚さは2～3㎜。味もしみやすく火の通りもよい。また、肉が薄すぎると、味が濃くつき、食感ももの足りない。
③肉から水分（ドリップ）が出ているものは避ける。冷凍ものだったり、時間がたっている証拠。

＊3
Q:しょうが1かけってどのくらい？

A:約10gがめやす。親指の先大、2×2㎝くらい。

小さじと比べると、ひとまわり大きいくらい。

▼肉の下ごしらえをします。

1

しょうが2かけをおろし金ですりおろし、しょうが汁約小さじ2をとる。＊1

2

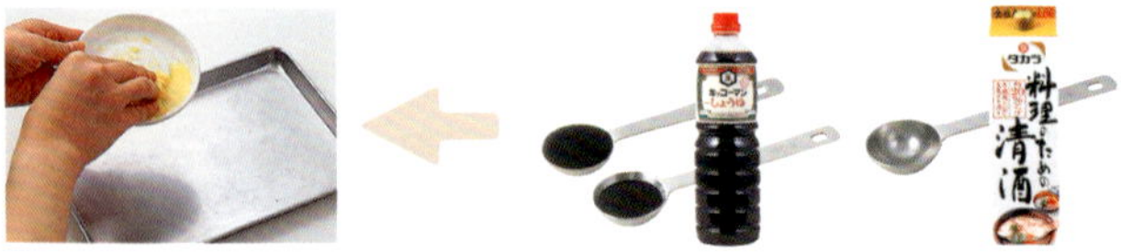

トレーにしょうが汁、しょうゆ大さじ1$\frac{1}{2}$＊2、酒大さじ1を混ぜ合わせる。

3

豚肉200gを1枚ずつ広げながら入れ、7〜8分つけておく。途中、一度裏返す。

▼手を石けんで洗ってから、つけ合わせを作ります。

4

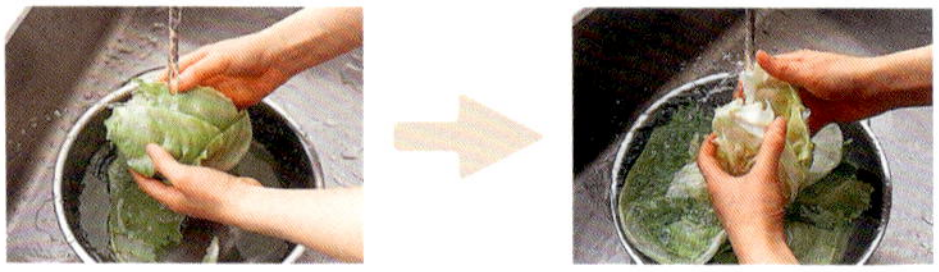

レタス100gは葉をはずして、流水で洗う。

5

冷水にひたし＊3、水気をしっかりときる。

6

トマト1個は洗って、半分に切る。

＊1
Q:しょうがの皮は、むく? むかない?

A:しぼり汁を使う（汁だけ使うのは、焼いたときにこげないようにするため）料理では、皮はむかない。しょうがそのものを使う料理は、計量スプーンの柄でこそげとる程度にする。

・しょうがの香りは、皮のすぐ下が強いので、汁を使う料理のときは皮ごとすりおろして、汁をしぼる。しょうが1かけ（10g）で約小さじ1のしぼり汁がとれる。

＊2
Q:しょうゆ大さじ$\frac{1}{2}$はどのくらい?

A:大さじの$\frac{1}{2}$の目盛りのところまで。見た目では意外と上のほう。これは、スプーンの下が丸くなっているため。

＊3
Q:なぜ、レタスを冷水にひたすの?

A:パリッとさせて、食感をよくするため。

・氷水など冷たい水にひたすことで野菜の細胞膜に水が浸入してきて、細胞内の圧力が高まり（浸透圧）、ピンと張った状態になるので、歯ざわりがよくなる。ただし、あまり長くつけると栄養分も逃げてしまうので、1〜2分をめやすに。そのあとはしっかり水気をきる（ペーパータオルなどで水気をふいても）。

7

へたのついた白い部分を
三角形に切りとる。

8

半分をそれぞれ3～4つに、
くし形に切る。

▼強めの火で手早く、肉を焼きましょう。

9

フライパンに油大さじ½を
入れて広げ、強めの中火にかける。＊4
※肉が全部入らないようなら、
油を半分にし、2回に分けて焼こう。

10

3のつけていた肉を1枚ずつ
広げながら、重ならないように入れる。＊5
※残ったつけ汁も使うので、捨てない！

11

おいしそうな色に焼けたら裏返す。
2回に分けて焼いた場合は、焼いた肉ももどす。
つけ汁を肉全体にかけてからめる。

＊4
Q：フライパンを熱してから油を入れる？油を入れてから火にかける？

A：フッ素樹脂加工のフライパンはから焼きをするといたむので、油を入れて回して広げてから、火にかける。鉄製のフライパンの場合は、火にかけて充分フライパンを熱してから約倍量の油を入れる。

＊5
Q：肉を香ばしく、上手に焼くコツは？

A：①強めの火で焼く…肉の表面を焼き固め、おいしい肉汁が逃げないようにする。弱火でいつまでも焼いていると、うま味がなくなるし、肉がかたくなってしまう。

②肉は重ねて焼かない…重ねて入れると、火の通りが均一でなくなり、一気に焼けない。また一度にたくさん入れすぎると温度が下がって、せっかくのおいしい肉汁が出てしまう。

③混ぜたり、やたらと動かしたりしない…肉の表面が焼き固まらないうちに混ぜたり動かしたりすると、肉どうしがくっつきやすくなる。一度動かしてしまうと、おいしそうな焼きめもつかない。また、鍋が鉄だとくっつきやすく、形がくずれやすい。

▼皿に盛ってできあがり！

レタスは手でちぎり、トマトと一緒に添え、肉を盛る。
野菜には、マヨネーズやドレッシングをかける。

※ドレッシングの作り方…
①ボールに塩小さじ⅛、こしょうひとふりを入れる。
②酢大さじ1を入れて泡立器でよく混ぜる。
③サラダ油大さじ1を少しずつ加えながらよく混ぜる。

かんたんチキングラタン

2人分／調理時間30分／1人分506kcal

ホワイトソースを別に作らなくてもできるかんたんグラタン。
材料をいためて、煮て、ホワイトシチューっぽくしたものに
チーズをのせて、オーブントースターで焼きます。
ブロッコリーは電子レンジにかけて、手間と時間も節約！

＊1
Q：電子レンジで使う容器で最適なものは？

A：耐熱ガラス製容器やオーブン用陶磁器が、効率よく電波を通して最適。電波を通さない、アルミやステンレスなど金属容器は使えないので注意！

＊2
Q：もも以外の部位、むね肉などではだめ？

A：使える。生クリームやチーズが濃厚な味なので、さっぱりしているむね肉も合う。むね肉で作った場合のカロリーは、1人分449kcal。

＊3
Q：生クリームがない！どうしましょう？

A：生クリームの分、牛乳を増やして使えばよい。
・ややコクが不足するが、牛乳カップ1（200mℓ）でもできる。

＊4
Q：小麦粉って薄力粉？強力粉？

A：レシピに「小麦粉」と書かれている場合は、ふつうは薄力粉のこと。

・強力粉は、水を加えて混ぜるとねばりが強く出るので、パンやぎょうざの皮を手作りするときに使う。

難易度★★　選択・判断力↗up　調理技術力↗up　段どり力↗up

▼ 用意する道具

包丁・まな板
… 各1つ

調理皿とトレー
… 各1つ

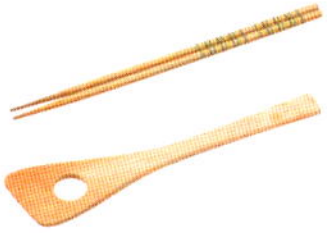

さい箸… 1膳
穴あき木べら
… 1つ

フッ素樹脂加工
の深型フライパン
… 1つ

電子レンジに
入れられる皿 ＊1
（耐熱容器）
… 1つ

グラタン皿
（耐熱容器）
… 1～2つ

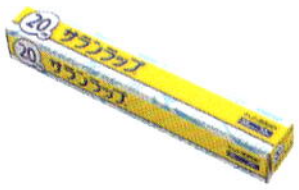

ラップ

電子レンジ

オーブントースター
（オーブンでもOK）

▼ 用意する材料

＊2
とりもも肉
… 150g

たまねぎ … ½個
（100g）

エリンギ
… 1～2本
（60g）

ブロッコリー
… ½株
（100g）

ピザ用チーズ
… 30g

↓ 代用可

（粉チーズ
… 大さじ2）

牛乳 … 150mℓ

＊3
生クリーム
… 50mℓ

▼ 用意する調味料や油

塩 … 小さじ¼

こしょう
… ふたふり

＊4
小麦粉
… 大さじ2

バター … 10g

サラダ油
… 大さじ½

▼ 塩とこしょうは合わせておき、2回に分けて使います。

1

塩小さじ1/4とこしょうふたふりを
合わせておく。＊1

▼ 野菜と肉の下ごしらえをします。

2

たまねぎ1/2個は
皮をむいて根元を切り落とす。

3

端から薄く切る。

4

エリンギ1～2本は根元のかたい部分を切り落とし、長さを半分に切って縦に約3㎜厚さ＊2に切る。

5

ブロッコリー100g（1/2株）は房と茎に切り分け、茎は外側のかたい部分を切り落としてから
長さを半分にして薄切り、房は食べやすく切り分ける。

6

とり肉150gはひと口大（2～3㎝角）に切る。

7

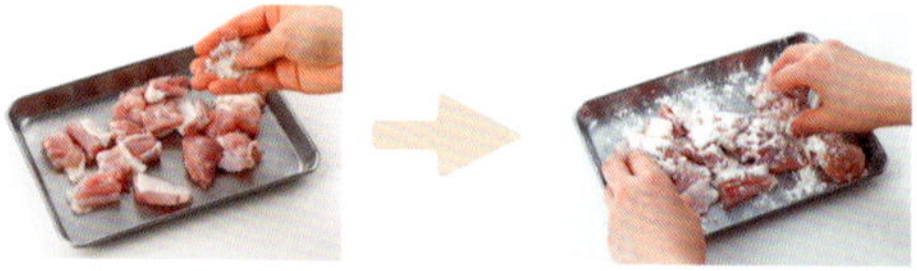

1の半分をまぶし、小麦粉大さじ1をまぶす。

＊1
Q:なぜ、塩とこしょうを合わせておくの?

A:少量の調味料なら先に合わせておいたほうが作業が効率的に進むから。また、肉をさわった手で調味料の容器をさわらないため。

・この料理の場合、最初、肉に塩・こしょう各少々（めやす量としては小さじ1/8とひとふり）をふり、あとでまた味つけのために塩・こしょう各少々をふるようになっている。そのたびごとにいちいちはかるよりも、最初に合わせておいて、1/2ずつ使ったほうが効率的。

＊2
Q:3㎜厚さのめやすは?

A:3㎜厚さは小指の幅半分をめやすにする。

・自分の手の幅、指の幅や長さを知っておくと、だいたいの長さの見当がつくので便利。「手ばかり」という。（⇒P.198参照）

8

ブロッコリーを耐熱容器に入れて
ラップをふんわりとかけ、
電子レンジで約1分加熱する＊3。

＊3
Q:ブロッコリーを鍋でゆでる場合は？
A:

①鍋にたっぷりの湯をわかし、茎、房の順に入れる。

②ふたをせず30秒〜1分ゆでる（ややかためにゆでること）。

③ざるにとり、重ならないように広げてさます。
＊ざるにあけたあとの余熱で火が通る。

▼材料をいためて、牛乳で煮ます。

9

深型フライパンにサラダ油大さじ½を
中火で熱し、とり肉をこげないように
両面を1分ずつ焼いて、いったんとり出す。

10

バター10gを溶かし、
たまねぎを1分ほどいためる。

11

しんなりしたら、小麦粉大さじ1をふり入れ、
弱火にしてさらに1分いため、
エリンギを加えてひと混ぜして火を止める。

12

牛乳150㎖と生クリーム50㎖を加えてよく混ぜ、とり肉をもどし入れる。
弱火にして混ぜながら2分ほど煮、とろみがついてきたら塩、こしょうの残りを加えて火を止める。

13

グラタン皿に入れて
ブロッコリーを入れ、
チーズ30gを全体に
のせる。

14

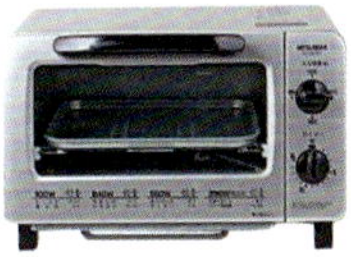

オーブントースターで5〜6分、
焼き色がつくまで焼く（オーブンの場合は220℃で約10分）。

ポテトサラダ

2人分／調理時間 30分／1人分 276 kcal

大人も子どもも大好きな、定番サラダです。
肉や魚料理の添えにもよし、酒の肴にも存外よし、
あらゆる場面で重宝します。
じゃがいもは、電子レンジでチンすればかんたん、
栄養素の流出も抑えられます。

＊1
Q:皮むき器って必要ですか?

A:特にじゃがいもなど球形の野菜の皮をむくときに便利な道具。包丁がいまいち上手に使えない、こわいという人はこれでほとんどの野菜の皮がむけるので、持っておくと重宝する。

・ここでは、じゃがいもは皮ごと電子レンジにかけるので、皮は手でむける。が、じゃがいもの芽をとるときに使う。

＊2
Q:電子レンジで使う容器で最適なものは?

A:耐熱ガラス製容器やオーブン用陶磁器が、効率よく電波を通して最適。電波を通さない、アルミやステンレスなど金属容器は使えないので注意!

難易度★★　選択・判断力↗up　調理技術力↗up　段どり力↗up

▼用意する道具

包丁・まな板
…各1つ

＊1
（あれば）
皮むき器…1つ

小さめの鍋
…1つ

電子レンジに
入れられる皿 ＊2
（耐熱容器）
…1つ

大きめのボール
…1つ

小さめのボール
…2つ

コップとフォーク
…各1つ

さい箸…1膳

竹串…1本

ペーパータオル、
たわし（またはスポンジ）
…各1つ

▼用意する材料

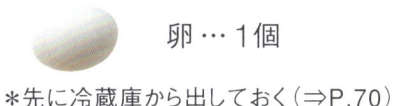

じゃがいも
…小2個
（約250g）

きゅうり…1/2本
（50g）

たまねぎ…20g

卵…1個

＊先に冷蔵庫から出しておく（⇒P.70）

ロースハム
…1～2枚
（15～30g）

▼用意する調味料

＜じゃがいもの下味用＞

塩…小さじ1/8

こしょう
…ひとふり

酢…小さじ1

＜きゅうり用＞

塩…小さじ1/8

＜たまねぎ用＞

塩…小さじ1/8

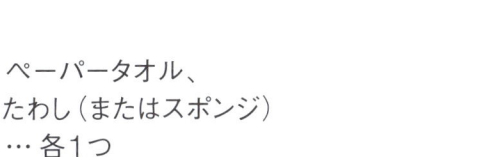

＜仕上げ用＞

マヨネーズ
…大さじ3

練りがらし
…しぼり出して
1～2㎝（小さじ1/4）

＊1
Q:ゆで卵を上手に作るためのコツは?

A:冷蔵庫から出してすぐの卵は冷たいため、ゆでている間に割れることも。常温に出していた卵を使うか、ゆでる水に5分ほどつけておく。また、卵の黄身をまん中にしたい料理では、沸とうするまで、卵を箸で静かにころがす。沸とうして火を弱めてから(沸とうが続くくらい)は、ころがさなくてもよい。

・半熟にしたいときは、火を弱めてから4〜5分。(⇒P.178参照)

＊2
Q:じゃがいもは皮をむくのに、たわしでしっかり洗わないとだめ?

A:でこぼこして土も残っているので、たわしやスポンジでしっかり洗う。

・汚れが残っていると、切ったときに包丁やまな板も土で汚れ、皮つきでゆでるときは、土も一緒になって、とれない。

＊3
Q:皮ごと電子レンジにかけるのはなぜ?

A:皮がついていることでラップをしたのと同じ状態になるから。

・ふつうは、ぬれたまま電子レンジで加熱すればよいのだが、ここではムラなくさらに上手に仕上げるために、ぬれたペーパータオルをかけてチンしよう。

＊4
Q:「小口切り」ってどんな切り方?

A:ねぎやきゅうりなど細長い食材を、端(小口)から薄く切ること。

▼卵をゆでている間、じゃがいもを電子レンジにかけます。

1

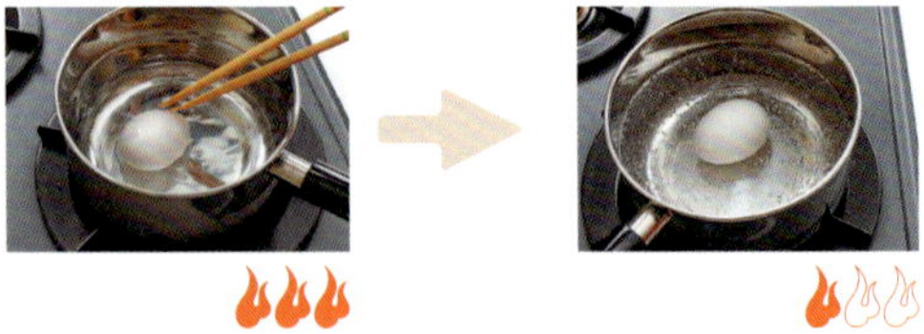

鍋に卵1個と卵がかくれるくらいの水を入れて強火にかけ、沸とうしたら弱火にし＊1、約12分ゆでる。水にとって冷やす。

2

じゃがいも2個はたわしやスポンジなどでよく洗う。＊2

3

皮ごと2つに切って切り口を下にして耐熱皿に。＊3

4

ペーパータオル(じゃがいもをおおうくらいの大きさ)を水でぬらして軽くしぼり、じゃがいもにかける。

5

電子レンジで2分加熱し、裏返してさらに2分かける。竹串を刺して、すーっと通ればOK。ペーパータオルをかけたままおく。

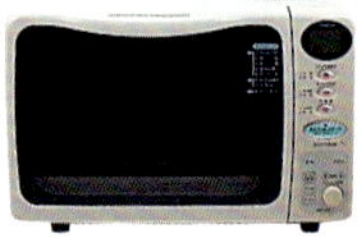

加熱時間のめやすは、500Wの電子レンジ。600Wなら0.8倍に。

▼材料の下ごしらえをします。

6

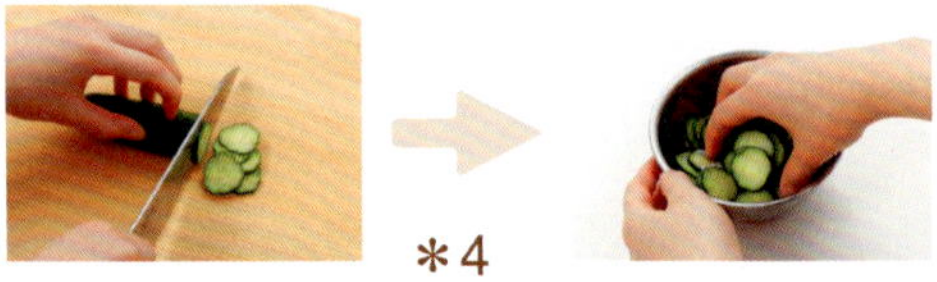

＊4
きゅうり½本は小口切りにして、塩小さじ⅛をまぶして手でもむ。

7

たまねぎ20gは根元を切り落とし、ばらして2〜3片にし、切りやすいようにおさえて薄く切る。

8

たまねぎに塩小さじ1/8をまぶしてもみ、かくれるくらいの水を入れて混ぜ、水気をしぼる。

たまねぎの辛味を抜くため。

9

きゅうりがしんなりしたら水気をしぼる。

10

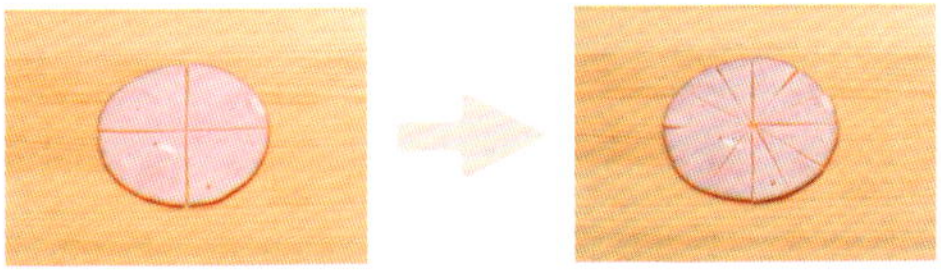

ハム1～2枚は、放射状に切る。

11

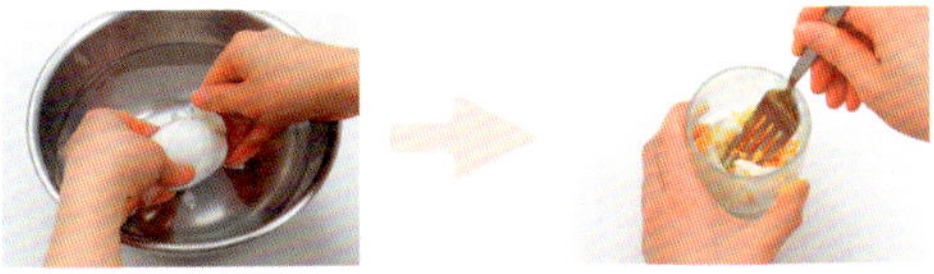

ボールより口径が狭いので、卵が動かず、つぶしやすい。

1の卵を水につけて殻をむき＊5、コップに入れてフォークでつぶす。

▼じゃがいもはあら熱がとれたら＊6、まだ温かいうちにつぶす。調味料を混ぜる順番にも注意。

12

じゃがいもが温かいうちに皮を手でむき、芽はとる。＊7

13

ボールに入れ、フォークであらくつぶし、塩小さじ1/8、こしょうひとふり、酢小さじ1を入れてよく混ぜる。

14

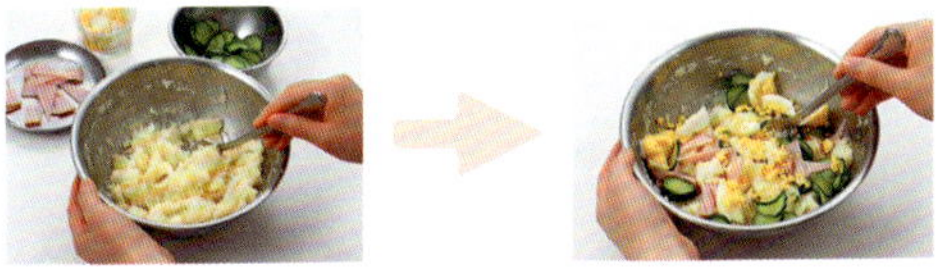

マヨネーズ大さじ3と練りがらし約2cm、たまねぎを加えてよく混ぜる。残りの材料を加えて混ぜる。＊8

＊5

Q:ゆで卵の殻がなかなかきれいにむけません。コツがありますか？

A:ゆであがった卵を水に入れ、冷やしておくとむきやすい（時間がない場合は氷水につけるのもよい）。全体にひびを入れ、水の中でむくと、らくにむける。

・産みたての卵をゆで卵にすると殻にひびが入ったり、むきにくい。これは、産卵直後の卵の卵白には炭酸ガスが多くとけこんでいて、ゆでると、ガスが膨張し、中の圧力が高くなるため。産卵後1週間くらいたって、炭酸ガスがほどよく抜けた卵のほうがゆで卵向き。

＊6

Q:「あら熱がとれたら」ってどういう状態？

A:加熱したじゃがいもが、ほどほどの熱さ、つまり手に持って皮がむけるくらいまでさめた状態。

＊7

Q:じゃがいもの芽って？とらないとだめなもの？

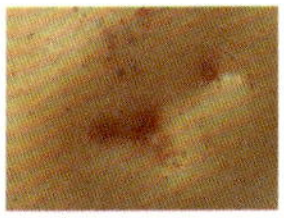

A:くぼんだ部分にあるのが芽。光に当たると、じゃがいもは緑色になり、芽を出す。芽や変色した部分にはソラニンという毒素があるので必ずとる。

・包丁でとるときは、包丁の刃元を芽の縁に刺しこみ、じゃがいもを回してえぐりとる。

＊8

Q:マヨネーズを13で入れず、あとで入れるのはなぜ？

A:じゃがいもがまだ温かいときに入れると、いもがマヨネーズを吸いこみ、たくさん使ってしまうことに。カロリーを考えてあとから入れる。

肉じゃが

2人分／調理時間40分／1人分308kcal

昔ながらのかあさんの味の定番、といえばこれ。
ホクホクのじゃがいもに、肉のうま味とたまねぎの
甘味がしみこみます。ごはんにぴったりだし、
酒の肴にもなるおかずです。じゃがいもの皮は、
皮むき器（ピーラー）を使えば、初心者でもかんたん。

難易度★★　選択・判断力↗up　調理技術力↗up　段どり力↗up

＊1
Q:じゃがいもは、男爵とメークイン、どちらを使う?

A:ここでは、ホクホクした食感に仕上げたいので、男爵を使う。メークインを使うと、煮くずれにくく、ねっとりした感じに仕上がる。好みで選ぼう。

男爵

メークイン

＊2
Q:スナップえんどうってどんな野菜?

A:グリーンピースをさやごと食べられるように改良した、えんどう豆の品種。たんぱく質とでんぷんが主成分で、必須アミノ酸のリジンが豊富。ビタミンB_1、B_2、Cなどのビタミン類やカリウム、食物繊維も。

・スナックえんどうとも呼ばれるが、農林水産省の統一名称はスナップえんどう。スナップ（snap）は、「ポキッと折る、パチッという音」という意味。

＊3
Q:しらたきと糸こんにゃくは違うもの?

A:昔は両者の製法が違い、一般的に、しらたきは糸こんにゃくより細くて白い滝をイメージしたもの、とされていた。が、どちらもこんにゃくいもを原料としており、現在は製法も同じであり、日本こんにゃく協会では「はっきり区別できる要素はない」としている。

▼用意する道具

包丁・まな板
… 各1つ

皮むき器 … 1つ

鍋 … 1つ

ボール（中・小）
… 各1つ

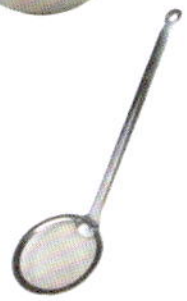
アクとり … 1つ

ざる … 2つ

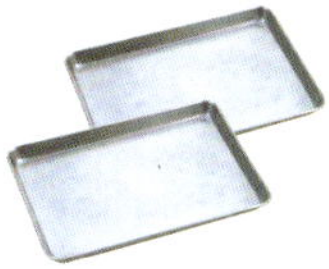
トレー … 2つ

おたま … 1つ

落としぶた
… 1つ

穴あき木べら
… 1つ

▼用意する材料

牛切り落とし肉
… 100g

↓代用可

（豚の
こま切れ肉や
薄切り肉）

＊1
じゃがいも…
小2個（250g）

たまねぎ … ½個
（100g）

＊2
スナップえんどう
… 6個

しょうが
… 小1かけ（5g）

＊3
しらたき … ½袋
（100g）

▼用意する調味料や油

＊4
だしまたは水
… カップ1

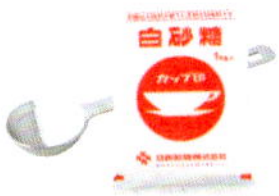

砂糖 … 大さじ½

みりん
… 大さじ1

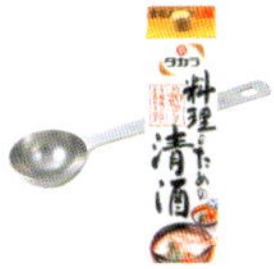
酒 … 大さじ1

しょうゆ
… 大さじ1½

サラダ油
… 大さじ½

＊4
Q:カップ1のだしをとるには?

A:方法①耐熱容器に水カップ1½とけずりかつお5g（手のひらにこんもりとのるくらい）を入れて、電子レンジで約1分半加熱し1分ほどおき、茶こしかざるでこす。

方法②鍋に水カップ1½とだしパック1袋を入れて、弱火で2分ほど煮出す。

方法②湯カップ1に、だしの素（粉末でも液体でも可。量は商品の表示に従う）を溶かす。

▼野菜を洗って、切ります。

1

野菜は洗って水気をきる（じゃがいもはたわしやスポンジでしっかり洗うこと）。ボールに水を入れておく。

2

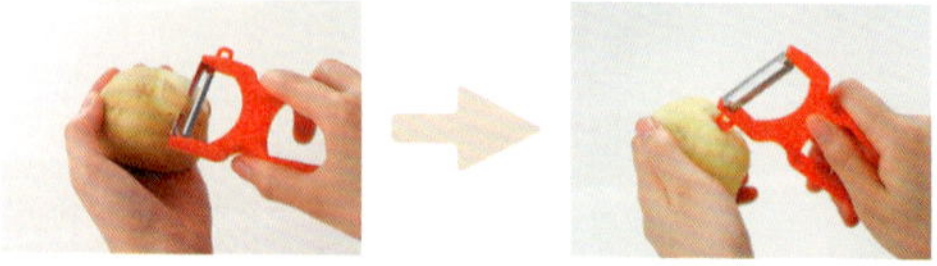

じゃがいも２個は皮むき器で皮をむき、芽をとる。＊1

3

じゃがいもは半分に切り、3〜4㎝大に切って水に1〜2分つけ、ざるにとり、水気をきる。＊2

4

鍋にたっぷりの水を入れて火にかける。

5

＊3

スナップえんどう6個は筋をとる。

6

たまねぎ½個は皮をむいて根元を切りとり、2㎝幅のくし形に切る。

7

しらたき100gは4〜5㎝長さに切る。

8

9

しょうが5gは計量スプーンの柄で皮をこそげとり、薄切りにする。切り落としの牛肉が長いようなら、食べやすく切る。

＊1

Q:じゃがいもの芽って？
とらないとだめなもの？

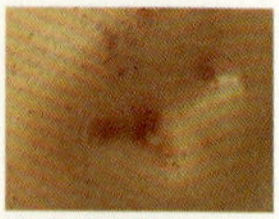

A:この、くぼんだところにあるのが芽。ソラニンという毒素があるので、芽や緑色になった部分はとること。

・皮むき器の芽とりを使うか、皮むき器がなければ、包丁の持ち手に近い刃元の角を使って、芽をえぐるように切りとる。

＊2

Q:切ったじゃがいもを水につけるのはなぜ？

A:じゃがいものアクで、切り口が変色するため。切ったそばから水につけることで空気にふれず、変色を防ぐ。

・また、これでじゃがいもの表面のでんぷん質がとれて、加熱してもべとつかず、味もよくつく。

＊3

Q:えんどうの筋はどうやってとるの？

A:

スナップえんどうをはじめさやえんどうなどの筋をとる場合は、つけ根のほうのへたをポキッと折り、つながってくる太いほうの筋から引いてとる。続けて反対側の筋もへたのほうからとる。筋がやわらかく、途中で切れれば、無理にとらなくてOK。

10

鍋の湯がわいたら、まずスナップえんどうを1分ゆでて、おたまでとり出し、しらたきを入れてひと煮立ちしたら、ざるにあける＊4。スナップえんどうは2つに切る。

▼肉と野菜をいためます。

11

鍋を洗って水気をよくふいて、油大さじ½、しょうが、たまねぎ、肉を入れる。強火でいためる。

野菜を先に入れ、肉と一緒にいためることで、肉が鍋にくっつきにくくなる。

12

肉の色が変わったら、しらたきとじゃがいもを加え、いためる。全体に油がまわったら（材料の表面に油がまんべんなくゆきわたりつやつやした状態）、だしカップ1、砂糖大さじ½、みりん大さじ1、酒大さじ1、しょうゆ大さじ1½を入れる。

▼アクをとり、中火に。落としぶた＊5と鍋のふたをして煮ます。

13

沸とうしたらアク（浮かび上がってくる泡。肉の脂など）をとり、中火にする。

アクはぬるま湯か水を入れたボールにあけ、すすぐとよい。

14

落としぶたと鍋のふたをする。5～6分したら汁の量を確認してそっと上下を返して混ぜる。汁気が少なくなりじゃがいもがやわらかくなるまでトータルで10～12分煮る。

15

スナップえんどうを加えてひと混ぜする。

（盛りつけは、P.221参照）

＊4
Q:しらたきをさっとゆでるのはなぜ？

A:独特のにおいをとるためと、水気を出すことで、煮たときに肉じゃがが水っぽくならないようにするため。

＊5
Q:落としぶたをする、ってどういうこと？　どうして必要？

A:煮ものをするとき、材料の上に、鍋の口径よりひとまわり小さいふたを直接のせることを「落としぶたをする」という。こうすることで、煮汁が少なくても、沸とうした汁がふたの面に当たって落ちて材料全体に煮汁がゆきわたり、均一に煮える。汁から上の材料の温度が下がらず、表面が乾くこともなく、材料が浮いたり動いたりしないので、煮くずれの心配も減る。

さばのみそ煮

2人分／調理時間**25**分／1人分**228**kcal

こってりしたみそが、とろっとさばにからみ、
なんともいえないうま味で、ごはんもすすみます。
皮になぜ切り目を入れるのか？　「みそ」はいつ入れるのか？
おいしく作るためのコツにはすべて、理由があります。

難易度★★　選択・判断力↗up　調理技術力↗up　理解力↗up

▼用意する道具

包丁・まな板
…各1つ

フッ素樹脂加工の
深型フライパン＊1
（または口径が広くて
やや浅い鍋）
…1つ

＊2
落としぶた
…1つ

ボールとざる
…各1つ

樹脂製
フライ返し
…1つ

ペーパータオル

アクとり…1つ

さい箸…1膳

テーブルスプーン
…1つ

（あれば）
ミニの泡立て器
…1つ

▼用意する材料

さばの切り身
…2切れ（180g）

＊3
しょうが
…小1かけ（5g）

かいわれだいこん
…1パック

▼用意する調味料

水…カップ½

酒…カップ¼

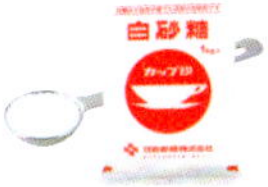

砂糖…大さじ1

しょうゆ…小さじ1

＊4
赤みそ…20g
（はかって小さいボールに
入れておく）

＊1
Q:フライパンで作れるの？

A:2切れ並べられて、煮汁があふれない深さがあるフライパンなら作れる。フッ素樹脂加工のものは洗いやすく、においも残らない。

＊2
Q:落としぶたって何？

A:煮ものをするとき、材料の上に直接のせる、鍋の口径よりひとまわり小さいふた。鍋の中にすっぽり落とすので、この名がある。

・写真のステンレスの落としぶたは、鍋に合わせて口径が調整できて便利。
・なければ、アルミホイルを鍋の口径に合わせて折り、中央に穴をあけて使うこともできる（⇒P.51）。

＊3
Q:しょうが小1かけってどれくらい？

A:しょうが1かけは親指の先大の大きさで約10g（下写真）。小1かけとはもっと小さな1かけで約5g。1かけ10gを半分に切って使ってもよい。

＊4
**Q:赤みそって、具体的には
どういうみそ？**

A:米を原料とした米こうじを使用した米みその中で、できあがりの色が赤色系のもの。具体的には、仙台みそ、津軽みそ、越後みそが代表的。なければ、ここではふつうのみそ（淡色みそ）を使ってもよい。

・米みそには、ほかに白みそ（西京みそ、府中みそ、讃岐みそ。塩分が少なく、甘味がある）、淡色みそ（信州みそ。白みそよりやや塩からく、赤みそよりソフトな風味）がある。
・米みそのほかには、麦みそ（田舎みそ）、豆みそ（八丁みそ、名古屋みそ）など。

▼下ごしらえ ― しょうがとかいわれだいこんを用意し、さばの皮に切り目を入れます。

1

しょうが5gは皮つきのまま
薄切りにする。＊1

2

かいわれだいこん1パックは、根を持ってボールの水でふり洗いし、根元を切る
（茶色い殻がかんたんにとれる）。
今度は葉のほうを持ってふり洗いする。パッパとふって水気をきり、ざるに入れる。

3

ペーパータオルで、
さば2切れの水気をふきとる。＊2

4

皮に4～5㎝長さ、中心が7～8㎜程度の深さで、
盛ったときに×になるように切り目を入れる。
（盛りつけは、腹側が手前）

魚は煮ると、皮が身よりも縮むので、皮が破れるのを防ぐため。
また、煮汁もしみこみやすく、火の通りもよくなる。
×でなく、右の写真のように斜めに入れても。

＊1
Q:なぜ、しょうがの皮をこそげないで使うの?

A:魚の生ぐさみを消すためにしょうがを入れる。しょうがの香りがもっとも強いのが皮のあたりなので、皮をむいたり、こそげたりはしない。

＊2
Q:さばの切り身は洗わない?

A:一尾魚は、まな板にのせる前に必ず洗うが（海水に住む細菌を真水で洗うため）、切り身魚の場合は、すでに洗ってから切ってあり、切り口に水が当たるとうま味も流れ出すので、原則洗わず、水気をふくくらい。

・血や汚れがあるときは、ぬらしたペーパータオルでふきとろう。

＊3
Q:最初からみそを入れて煮ないのはなぜ?

A:いきなりみそで煮ると、みその香りがとび、生ぐささも消えない。

＊4
Q:皮を上にして煮るのはなぜ?

A:煮魚は煮くずれしやすいので、途中で裏返さず、鍋に入れたときの状態で煮あげる。そして、盛りつけるときは、皮を上にする。皮を下にして煮ると、どうしても皮がはがれやすく、きれいに仕上がらない。

・なお、きんきなど一尾魚は頭を左、腹を前にして盛りつけるので、それを考えて鍋に入れる。ただし、かれいだけは頭が右になるので注意。

▼まず、みそ以外の調味料で煮て、あとからみそを加えます。＊3

5

深型フライパンに、水カップ½、酒カップ¼、
砂糖大さじ1、しょうゆ小さじ1としょうがを入れ、煮立てる。

6

煮立ったところに、
さばを皮を上にして＊4、
重ならないように並べる。

**必ず煮立ててから魚を入れること！
まだ煮立ってないところに入れて煮ると
魚の生ぐささが出てしまう。また、においが
こもらないように、ふたはしない。**

7

再び煮立ったら中火にし、
アクをとり（ボールのぬるま湯にアクをとる）、
スプーンで煮汁をかける。
落としぶたをして2〜3分煮る。

8

落としぶたをとり（熱いのでさい箸に上の
輪っかを引っかけてとる）、みそ20gに煮汁
スプーン約2杯分を加えてみそをとく（ここで
ミニの泡立て器があれば、とかしやすい）。

9

汁でといてやわらかくなったみそを
あいたスペース2〜3か所に置くように
して加える。落としぶたをし、約10分煮る。
途中、2〜3回、スプーンでさばに煮汁を
かける。

▼汁が少なくなったら、最後にかいわれだいこんを加えます。

10

落としぶたをはずし、すき間にかいわれだいこんを加える。
ひと煮立ちして、煮汁が写真の量くらいになったら、
できあがり。火を止め、フライ返しで皿にとる。

（盛りつけ方⇒P.220参照）

ぶりの鍋照り

2人分／調理時間**30**分／1人分**276**kcal

こっくり、味のしみた、ごはんのおかずを
フライパンで作ってみましょう。
「たれは、酒・みりん・しょうゆの割合が同じ」と覚えておけば、
1人分でも4人分でも作れます。
ぶりを、かじきやとり肉にかえてもできますよ。

＊1

Q:皮むき器って何?

A:野菜の皮をむくのに便利な道具。ピーラーともいう。包丁に慣れていない初心者は1つ持っておくと重宝する。

＊2

Q:魚の切り身は使う前に洗うの?

A:原則、洗わない。身に直接水が当たり、うま味まで流れてしまうし、水っぽくなっておいしくないから。

・血や汚れがついているときは、ぬれたペーパータオルなどでふく。

＊3

Q:かぶの選び方と保存法を教えて。

A:白くつやがあり、よくしまったもの、葉が青々としてみずみずしいものが新鮮。

・葉をつけたままだと、根の水分や養分が葉に吸いとられていくので、根と葉を切り分けてポリ袋に入れて野菜室で保存。葉はさっとゆでてしぼり、使いやすく切ってから冷凍すると便利（写真右は葉を4cm長さに切ったもの、左は細かく切ったもの）。

・かぶの葉は「みず菜と油揚げの煮びたし」（P.34）のみず菜の代用や汁に使える。

・かぶの葉のつけ根の間には土が残っているのでよく洗い、葉とかぶを切り離す。

難易度★★　選択・判断力↗up　調理技術力↗up　段どり力・応用力↗up

▼用意する道具

包丁・まな板
… 各1つ

＊1
皮むき器 … 1つ

平らなざると
下に置くトレー
… 各1つ

トレー … 1つ

大きめのボール
… 1つ

小さめのボール
… 2つ

フッ素樹脂加工
のフライパン
… 1つ

樹脂製フライ返し
… 1つ

ペーパータオル

さい箸 … 1膳

スプーン … 1つ

▼用意する材料

＊2
ぶり … 2切れ
（180g）

＊3
かぶ … 1個
（100g）

▼用意する調味料や油

塩 … 小さじ⅛

サラダ油
… 小さじ1

＜たれ用＞

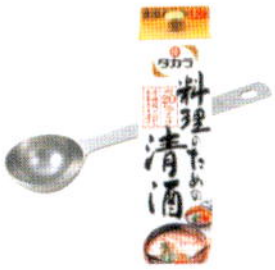
酒 … 大さじ1

みりん
… 大さじ1

しょうゆ
… 大さじ1

＜かぶの甘酢漬け用＞

塩 … 小さじ⅙

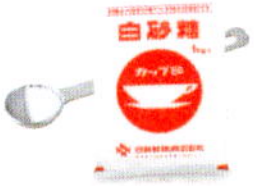
砂糖 … 小さじ½

酢 … 大さじ½

＊1
Q:塩小さじ⅛のはかり方は?

A:塩小さじ1をはかって、半分、半分、半分にする。

①塩小さじ1をすりきる。

②2等分の線を引いて、半分を除く。(→小さじ½)

③平らにならし、2等分して、半分を除く。(→小さじ¼)

④平らにならし、さらに2等分して、半分を除く。(→小さじ⅛)

※めんどうな場合は、親指と人さし指で塩をつまんだ量(レシピでは「少々」と記される)がほぼ同じくらい。

＊2
Q:塩小さじ⅙のはかり方は?

A:塩小さじ⅓をはかって、それを半分にする。

①塩小さじ1をすりきる。

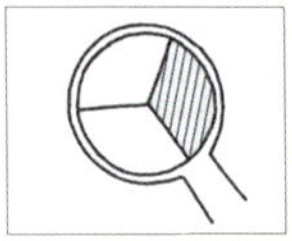

②3等分の線を引いて、⅔を除く。(→小さじ⅓)

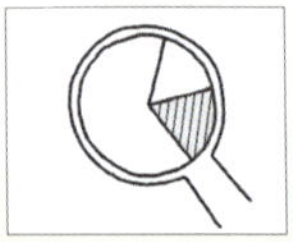

③2等分の線を引いて、半分を除く。(→小さじ⅙)

塩が少し流れても、大体でOK。

▼下準備・ぶりに塩をふります。

1

ぶり2切れをざる(下にトレーを置く)にのせて、両面に塩小さじ⅛をふる。＊1

2 4〜5分そのままおく。

塩をふってしばらくおくことで魚の生ぐさみがとれ、身がしまって身くずれしにくくなる。ざるを使うことで、下のトレーにくさみである水気が落ちる。

▼手をよく洗い、かぶの甘酢漬けを作っておきます。

3

かぶ1個は皮をむき、縦半分に切る。切り口を下にして薄く切る。

4

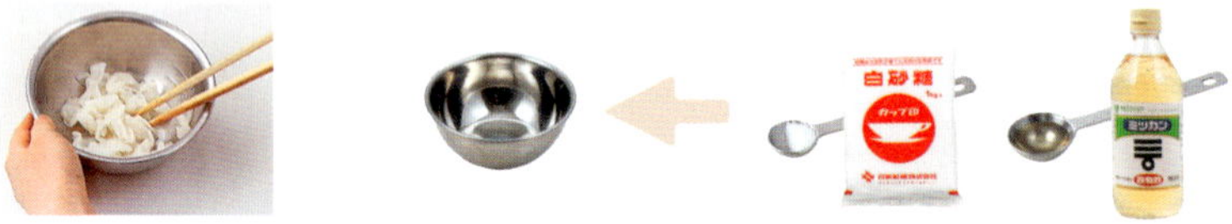

かぶに塩小さじ⅙＊2を混ぜて2〜3分おく。
別のボールに砂糖小さじ½と
酢大さじ½を合わせて甘酢を作る。

5

かぶの水気をしぼって、
甘酢に漬ける。

▼ぶりを焼きます。

6

フッ素樹脂加工のフライパンに
サラダ油小さじ1を入れ、強めの中火にかける。

7

ぶりの水気をふき、盛りつけたときに表になるほうを下にして入れる。＊3
（中火で焼き時間3～4分）

▼ぶりの両面を焼いて、いったんとり出し、たれをからめます。

8

ぶりに焼き色がついたらフライ返しで裏返して、弱めの中火にして同様に3～4分、焼く。両面に焼き色がついたらOK。火を止めて、ぶりをとり出す

9

ここでくさみと脂分を除くのがコツ！たれが魚にのりやすくなる。

フライパンの脂を、切って小さくたたんだペーパータオルでふきとる。

10

フライパンに、酒大さじ1、みりん大さじ1、しょうゆ大さじ1を入れて強めの中火にかける。

11

魚の身はくずれやすいので、裏返さずにスプーンでたれをかける。

全体が泡立ってきたら中火にして、ぶりをもどし（盛りつけたときに表になるほうを上）、たれをかけてからめ、煮汁が煮つまったところで火を止め、おろす（そのままにしていると余熱でこげるので）。

＊3

Q:ぶりの鍋照り、きれいに焼くコツは？

A:①塩をふったぶりを焼く前にペーパータオルなどで水気をしっかりふきとる。
②調味液につけず、最後にたれをからめる。
③盛りつけたとき、表になる側（皮目）から先に焼く。
④フライ返しを使ってそっと裏返す。

①塩をふった魚からは、くさみが水気とともに出てくるので、焼く前にその水気をしっかりとること。水で洗うと、うま味まで流れ出るので×。
②つけ汁につけてから焼くと、どうしてもこげやすくなり、初心者にはむずかしい。先に魚を焼き、最後にたれにからめる。
③盛りつけたときにきれい。
④火が通った魚は身がくずれやすいので、慎重にとり出す。

Q:切り身魚を盛りつけるときのきまりは？

A:皮のついているほうを向こう側に盛りつける。

・身の幅が大きいほうを左にするのが一般的だが、適さない切り身もあるので、おさまりのよい方向でもかまわない。

Q:かぶの甘酢漬けを盛る位置は？

A:やや右よりの前に盛る。

・和食では焼き魚などに、口の中をさっぱりさせる目的で、かぶの甘酢漬けやだいこんおろし、きねしょうがなどを料理の前に盛り、「前盛り」と呼ぶ。料理の見た目を引き立てる役目もあるので、器とのバランスを考え、やや右よりに置くとよい。

さんまの塩焼き

2人分／調理時間20分／1人分316kcal

脂ののった旬のさんまをいちばんおいしい食べ方で。
ここでは、グリルで焼きます。（※フライパン焼きもできます⇒P.99）
ふつう、丸ごと一尾の魚を調理するときは、はらわたを除きますが、
新鮮なさんまは、栄養満点のわたも食べられます。
下処理不要でかんたん。ですが、奥が深い料理です。

難易度★★　選択・判断力↗up　調理技術力↗up　理解力↗up　作法力↗up

▼用意する道具

包丁・まな板
…各1つ

平らなざると
下に置くトレー
…各1つ

ペーパータオル

さい箸…1膳

樹脂製
フライ返し
…1つ

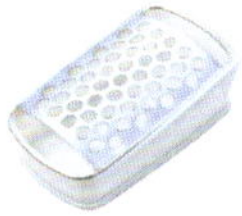

おろし金…1つ

小さなボールと
ざる…各1つ

▼用意する材料

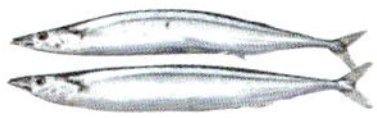

＊1
さんま
…2尾（300g）

だいこん…70g

＊2
すだち…1個

↓代用可

（レモン…1/4 個）

▼用意する調味料

塩…小さじ1

しょうゆ
…2〜4滴

＊1
Q:新鮮なさんまの選び方は？

A:体が銀色に光って張りがあり、目が澄んでいるものが新鮮。最近は産地直送でうろこがまだついているものもある。写真の水色にぴかぴか光っているのがうろこ。ついているときは、うろこをとる（⇒P.98）。

＊2
**Q:焼き魚には、なぜレモンやすだちを添えるの？
ないときはどうする？**

A:魚の生ぐささを消し、脂をさっぱりさせて魚のうま味をひき立たせるため。また、かんきつ類のさわやかな香りで食欲をそそり、塩味がうすくても、酸味でおいしく食べられる。

・用意できなかったときは、小皿に酢を用意して、ほぐした身をつけて食べてもよい。

▼下準備・さんまに塩をふって、くさみをとります。

1

さんま2尾は表面を洗い＊1、うろこが残っているときは、包丁の先で尾から頭に向けてうろこをこそげとる。再度洗って、水気をふく。

2

それぞれ長さを半分に切る。
血が出たら、ペーパータオルでふく。

まな板は「加熱が必要な生の肉や魚」と「野菜や、加熱せずに食べられるもの」で使い分けよう！ 同じまな板の面で、魚を切り、すだちを切るのは×。まな板を通して肉や魚の細菌が野菜につく危険があるからだ。まな板と包丁を洗剤でよく洗ってから、すだちを切る。

3

さんまをざる（下にはトレーを置く）にのせ、
魚の30㎝上くらいから、塩小さじ1を両面にふる。
塩は手のひらにのせ、指と指のすき間から
パラパラと落とす感じで、まんべんなくふる。＊2

4

塩をふってしばらくおくことで魚の生ぐさみがとれ（下のトレーに生ぐさみの汁が落ちる）、身がしまって身くずれしにくくなる。

そのまま5分ほどおく。

▼グリルは水を入れ、予熱してから魚を入れて、焼きます。＊3

5

グリルの受け皿にカップ1/3くらいの水を入れ
（グリルの機種によっては、水を入れる必要のないものもある）、温める（⇒予熱）。＊4

＊1
Q:一尾魚は必ず洗うの？

A:海水にすむ細菌（腸炎ビブリオ）による食中毒を予防するためにも、まな板にのせる前に必ず洗うこと。切り身と違って皮があるので、洗ってもうま味は流れ出ない。

＊2
Q:塩をふるときの注意点は？

A:手の水気はしっかりふく。材料の約30㎝上から、塩を落とすようにふる（尺塩・1尺が33㎝のためこう呼ぶ）。手のひらを斜め上向きにして指の間を適度に離して塩をのせ、手首のスナップをきかせて指の間から塩を落とす。

・魚にまんべんなく塩をふるときのコツで、ふる高さが低すぎるとかたまって落ちるし、高すぎるとあたりに散らばってしまう。

＊3
Q:よく言われる「強火の遠火」って何？

A:「弱火の近火」では、中心まで焼けるのにいたずらに時間がかかり、水分が抜けてパサパサに。「近火の強火」だと中に火が通る前に表面がこげる。そこで、表面はパリッと香ばしく焼けたころ、魚の中心まで火が通った状態に焼けるのは「強火の遠火」という意味。

＊4
Q:グリルの受け皿に水を入れるのはなぜ？

A:さんまの脂が落ちて、炎が出るのを防ぐため。焼きあがったときに、水がなくなっているくらいの量を入れる。

6

さんまの水気をペーパータオルでふく。片面焼きのグリル（上火）では、盛りつけたときに裏になる面を上にして入れ、強火で5〜6分焼く。

表＊5から焼くと、せっかくパリッと焼けた皮が、裏返したときにつぶれるから。

7

よい焼き色がついたら、さい箸にフライ返しを添えるようにして（身がくずれやすいため）裏返し、強火で5〜6分焼く。＊6

▼さんまを焼いている間に、だいこんおろしとすだちを用意。

8

だいこん70gは洗って、包丁をねかせて皮に当て、親指を少しずつ進めながら、同時にだいこんを少しずつ回しながら皮をむく。自信がない人は、皮むき器でむこう。おろし金ですりおろし、ざるに入れ、自然に水気をきる。

9

すだち1個は半分に切る。

▼頭が左、腹側が手前になるように盛りつけます。

10

皿に背を向こう、頭を左にしてさんまを盛り、右前にすだちとだいこんおろしを添える。だいこんおろしにしょうゆを1〜2滴落とす。＊7

フライパンで焼きたい場合は？

フライパンに油小さじ$\frac{1}{2}$を温め、さんまを盛りつけたとき、表になる側から焼く（下火なので）。ふたをして中火で4〜5分焼き、焼き色がついたら裏返し、3〜4分焼く。

半分に切って焼くときは、内臓をとったほうがきれいに仕上がる。

＊4

Q:なぜ、グリルは予熱するの？

A:グリルをあらかじめ温めておくことで、強火で表面をカリッと焼きかため、中まで火が通るようにできる。片面焼きのグリルなら片面ずつ約5分焼くのがめやす。両面焼きグリルなら5〜6分前後。

・魚を入れたら、グリルは何度も開け閉めしないこと！　温度が下がって上手に焼けない。

＊5

Q:魚の「表」とはどちら側？

A:尾頭つきの一尾魚を盛りつけるときは、頭を左にする。つまり、表（盛りつけるときに上になるほう）とは、背びれが上、頭が左になる面である。

＊6

Q:焼き魚、どうしたら中まで焼けたことがわかる？

A:一尾魚の場合、目が白くなっているかをまずチェック。焼けにくい頭に火が通っていれば、中心が生焼けのことはまずない。またここでは2つに切っているので、切り口の身と骨の周辺まで白くなっているかを確認しよう。

Q:さんまを焼いたあとのグリルは？

A:さんまの脂が受け皿に落ちてべとべとに汚れているはず。まず、古新聞紙などで油をふきとってから湯と洗剤で洗おう。そのままにしておくと汚れがとれにくくなるので、グリルは使うつど、めんどうでもちゃんと洗う習慣を！

＊7

Q:だいこんおろしにしょうゆをたらしたものを何と呼ぶ？

A:「染めおろし」という、粋な呼び方がある。

さけのムニエル

2人分／調理時間 30分／1人分 201 kcal

ムニエルはフランス語で「粉屋（ムニエ）」という意味。
魚に塩、こしょうで下味をつけ、
小麦粉をまぶしてバターで焼く調理法です。
小麦粉をまぶすと、魚のうま味が逃げず、
またバターの風味も加わり、香ばしく焼けます。

＊1

Q：さけの旬はいつ？

A：本来は秋から冬にかけてで、「秋味（秋ざけ）」という。4～6月に北海道沖でとれる小ぶりのものは、本来旬の秋ではないために「時しらず（時さけ）」と呼ばれる。これも脂がのっておいしい。さけは一般に輸入品や冷凍品もあるので、比較的、年中手に入りやすい魚。

＊2

Q：同じ小麦粉でも、薄力粉、中力粉、強力粉とあるけど、どれを使うの？

A：ふつう料理やお菓子に使うのは薄力粉で、ねばりが少ないのが特徴。中力粉は別名うどん粉と呼ばれるように、うどんのめんを打つときに。ねばりが強い強力粉は、パン作りに使用する。

・なお、天ぷら粉は、薄力粉にコーンスターチやベーキングパウダーなどを加えたもので、失敗なくきれいに揚げものができる。

＊3

Q：バターの保存で気をつけることは？

A：①開封後は酸化で味が落ちやすいので、しっかり包む。
②においを吸いやすいので、強いにおいのものと一緒に置かない。
③5gか10g（200gなら20等分）に切って保存すると、使うときに便利。包んである銀紙に10gずつ切れる線が入ったバターも売られている。

難易度★★　選択・判断力↗up　調理技術力↗up　段どり力・応用力↗up

▼用意する道具

包丁・まな板
… 各1つ

平らなざると
下に置くトレー
… 各1つ

トレー … 1つ

（あれば）
茶こし … 1つ

フッ素樹脂加工
のフライパン
… 1つ

樹脂製フライ返し
… 1つ

スプーン … 1つ

小さめのボール
とざる … 各1つ

ペーパータオル

▼用意する材料

＊1
生さけ … 2切れ
（160g）

しめじ … ½パック
（50g）

ミニトマト … 4個

レモン … ¼個

▼用意する調味料や油

塩 … 小さじ⅛

こしょう
… ふたふり

＊2
小麦粉
… 大さじ½

サラダ油
… 小さじ1

＊3
バター … 10g

<つけ合わせのしめじ用>

塩 … 小さじ⅛

こしょう
… ひとふりか
ふたふり

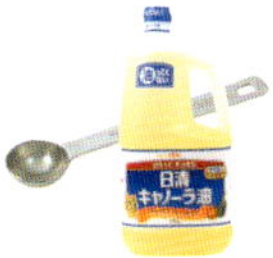

サラダ油
… 小さじ1

*1
Q:さけの皮をとるのはなぜ?
必ずとらないとだめ?

A:皮があると、火の通りが遅くなったり、まんべんなく火を通すのがむずかしくなったりするから。皮をとることでカロリーも下がる。が、とるのがめんどうな人はとらなくてもよい。最後、油をかけながら皮の周辺にもしっかり火が通るように注意しよう。

*2
Q:塩小さじ1/8のはかり方は?

A:塩小さじ1をはかって、半分、半分、半分にする。

①塩小さじ1をすりきる。

②2等分の線を引いて、半分を除く。(→小さじ1/2)

③平らにならし、2等分して、半分を除く。(→小さじ1/4)

④平らにならし、さらに2等分して、半分を除く。(→小さじ1/8)

※めんどうな場合は、親指とひとさし指で塩をつまんだ量(レシピでは「少々」と記される)がほぼ同じ。

*3
Q:しめじは洗う? 洗わない?

A:汚れがあれば、ふく程度に。

・スーパーで売られているしめじは人工栽培されたものなので、ほぼ洗わずに使える。
・きのこは水を吸収しやすく、ぬらすといたみやすい。気になる場合は洗ってもよいが、使う直前にさっと洗う程度(えのきだけは水中でふり洗い)にする。

▼下準備・さけは皮をとり、塩とこしょうをふります。

1

さけ2切れは、指で皮を少しめくり、身と皮の間に包丁を入れ、皮をひっぱりながら、包丁をすべらせるようにしてとる。*1

2

塩をふってしばらくおくことで魚の生ぐさみがとれ、身がしまって身くずれしにくくなる。下味をつけることにもなる。

さけをざるにのせ、両面に塩小さじ1/8*2とこしょうふたふり(先に合わせておくとやりやすい)をふる。そのまま10分ほどおく(味つけがシンプルなので、やや長め)。

▼下準備・つけ合わせを作ります。

3

まな板と包丁を洗剤で洗う。
しめじ50gは根元を落とし、小房に分ける。*3

4

レモン1/4個は半分のくし形に切り、両端を切り落とす。

5

ミニトマト4個は洗って水気をきる。

6

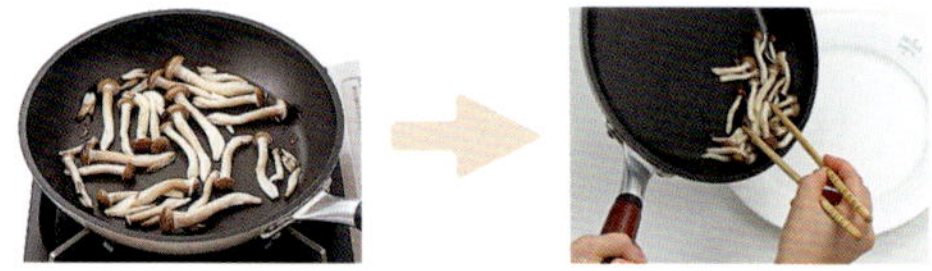

フッ素樹脂加工のフライパンに油小さじ1を入れて強めの中火にかけ、しめじを入れて20〜30秒いためる。塩小さじ1/8、こしょうひとふりかふたふりを入れて火を止める。とり出す。

▼さけを焼きます。

7

さけの水気をペーパータオルで
きちんとふき、トレーに並べる。

8

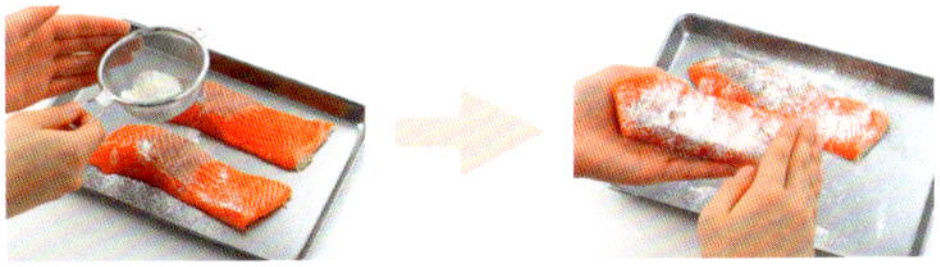

小麦粉大さじ½を茶こし＊4に入れ、
さけの上からふって両面に薄くつける。余分な粉ははたき落とす。

9

フッ素樹脂加工のフライパンにサラダ油
小さじ1とバター10g＊5を入れ、中火にかける。

10

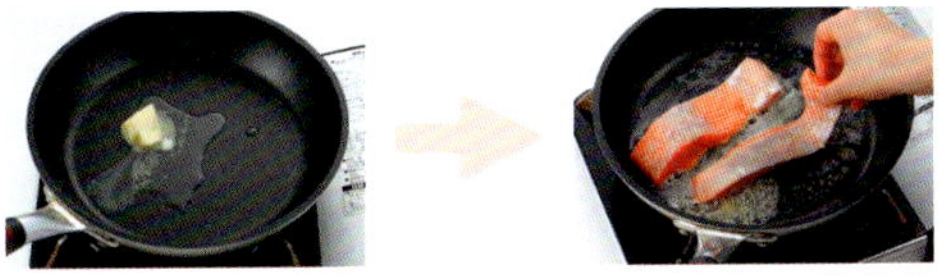

バターが半分くらい溶けたら、さけを盛りつけたとき表になる
身のほうから（この場合は、皮をとった面が裏側になる＊6）入れる。

11

少し火を弱め、3～4分焼く。
フライ返しで持ち上げて見て、
焼き色がついていたら裏返す。

12

弱火にして、さけの厚みのある部分には、
スプーンでフライパンに出た油脂をかけながら、
均等に火が通るように3～4分焼く。

13 皿に盛って、トマト、しめじ、レモンを添える。

＊4
Q：小麦粉をさけにふるうとき、茶こしがない場合は？
A：茶こしで粉をふるうと、均等にまんべんなく粉がつくので便利。でも、ない場合は、トレーかバットに粉を入れ、さけを入れて手でまんべんなく粉をつけ、きちんとはたく。

＊5
Q：サラダ油も入れるのはなぜ？
A：風味よく仕上げるためバターで焼くのだが、バターだけだとこげやすい。それでサラダ油も加える。

＊6
Q：皮をつけた切り身だと、どちらが表になるの？
A：皮のついた面が表になるので、そちらから入れる。要は、見た目がきれいな面を表にすると考えるとよい。

親子丼

2人分／調理時間30分／1人分430kcal

おいしい親子丼の最重要ポイントは、
卵をふんわり、とろとろに仕上げること。
とき卵を2段階に分けて入れ、
卵が固まる前に火を止めるのがコツ。
2人分をフライパンで作ってみましょう。

＊1

Q:親子丼を作る専用鍋があるって聞いたのですが?

A:その名も親子鍋。1人分ずつ親子丼が作れるふた付きの鍋。表面の打ち出し加工で熱をすばやく伝えるため、卵液を2段階に分ける裏ワザなしに、半熟のとろとろふんわり卵が作れる（カツ丼やうな玉丼もOK）。が、ここでは、通常持っているフッ素樹脂加工のフライパンで作れるレシピをマスターする。

＊2

Q:使うとりもも肉、皮なしの場合は何gを用意する?

A:ここのレシピでは食感のよさとカロリーダウンのために、皮をとって使うことを前提にしている。最初から皮なしを買うのなら、70～80gあればよい。

＊3

Q:カップ½のだしをとるには?

A:方法①耐熱容器に水カップ½強とけずりかつお2～3gを入れて、電子レンジで約1分半加熱し、茶こしでこす。

方法②湯カップ½に、だしの素（量は表示に従う）を溶かす。

難易度★★　選択・判断力↗up　調理技術力↗up　理解力↗up　始末力↗up

▼用意する道具

包丁・まな板
…各1つ

ボール（中・小）
… 各1つ

トレー
…1つ

＊1
フッ素樹脂加工
の深型フライパン
…1つ

フライパンのふた
…1つ

さい箸…1膳

おたま…1つ

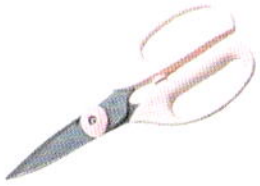

キッチンばさみ
…1つ

▼用意する材料

＊2
とりもも肉
…100g

卵…2個

たまねぎ…½個
（100g）

みつば…6本
（15g）

×2

ごはん…2人分
（300～350g）

きざみのり
…ひとつまみ

▼用意する調味料

＜とり肉の下味用＞

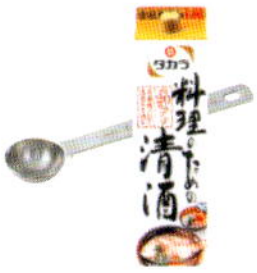

酒…小さじ1

しょうゆ
…小さじ½

＜煮汁＞

＊3
だし…カップ½
（100㎖）

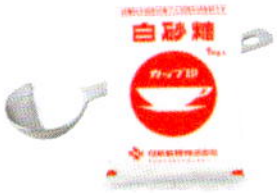

砂糖…大さじ½

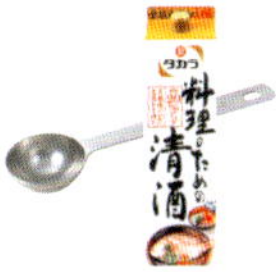

酒…大さじ1

みりん
…大さじ1

しょうゆ
…大さじ1

▼ 野菜を切り、卵は最初に入れるぶん、仕上げに入れるぶんに分けます。

1

たまねぎ½個は皮をむいて、先端と根元を切り落とす。3〜4㎜厚さに切る。

2

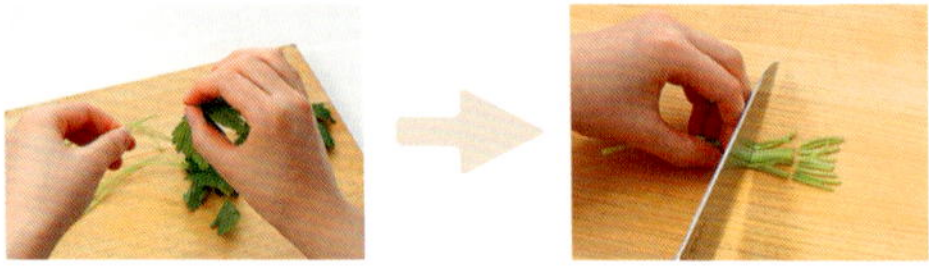

みつば6本は葉を手でつみ、茎は3㎝長さに切る。

3

卵2個をボールに割って、ほぐす。約⅓量（仕上げに入れる分）をとり分ける。

▼ とりの皮はうま味のある部分ですが、ここでは皮をとって、下味をつけます。

4

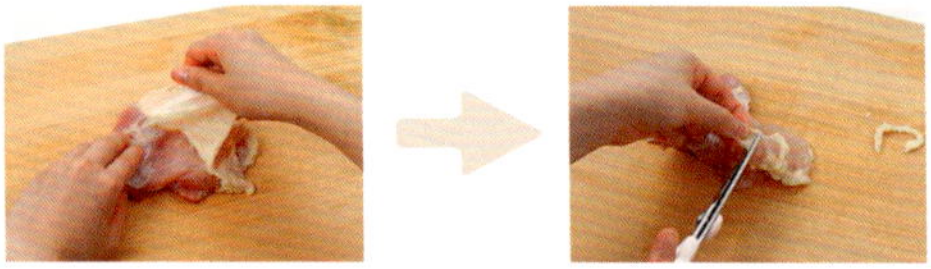

皮と間にある脂肪をとることで、カロリーダウンになり、このあと肉を切りやすい。

とり肉100gの皮を手ではぐようにしてとり、脂肪をはさみで切りとる。＊1

5

包丁をややねかせて刃元から刃先へ、弧く を描くように包丁を動かし（いわゆる、そぐようにして）、ひと口大に切る（⇒そぎ切り＊2）。

6

ここで、肉に酒としょうゆのうま味と香りをつけておくのがコツ！

酒小さじ1としょうゆ小さじ½をまぶして、下味をつける。

▼フライパンに煮汁、材料を入れて煮ます。

7

フライパンに、だしカップ½、砂糖大さじ½、酒大さじ1、みりん大さじ1、しょうゆ大さじ1、とり肉、たまねぎを入れて中火にかける。

8

途中、肉を返しながら1〜2分煮る。（卵を加えると火が通りにくいので、肉には中まで火を通す。）

9

とり肉に火が通り（白くなる）、たまねぎが透明になってきたら、みつばの茎を入れる。

▼とき卵を入れます。

10

静かに沸とうしているところに⅔量のとき卵を箸に沿わせながら中央から外側に向かって回し入れる＊3。

11

フライパンを軽くゆすって、卵が半熟になるまで約1分煮たら、残り⅓量の卵液を全体にかかるように入れて弱火に。みつばの葉をのせ、ふたをして火を止め、30秒ほどおいて蒸らす。

12

おたまでやさしくすくうようにして、ごはんの上にのせる。きざみのりをのせる。

＊1

Q:とり除いたとりの皮は捨てるの?

A:捨てないで、とりの皮で1品、酒の肴を作ろう。

・作り方はかんたん。

①とりの皮を2cm幅くらいに切る

②竹串に刺して巻きつけていく

③グリルで焼き色がつくくらい全体を焼く。七味とうがらしや塩をふって。

＊2

Q:なぜ「そぎ切り」にするの?

A:肉が薄くなるだけでなく、肉の繊維も断ち切るので、やわらかく、火の通りがよく、味のしみこみもよくなるから。

・同じ時間に煮あがるように、できるだけ同じ厚さのそぎ切りにするのがコツ。

＊3

Q:中央から外側に向かってとき卵を入れるのはなぜ?

A:まわりのほうが加熱が早く、中心部は火が通りにくいから。

たけのことひじきの炊きこみごはん

4人分／調理時間 40分／1人分 346 kcal

たけのこ、ひじき、とり肉、にんじん、しめじに油揚げ。
入っている具が五目（品）よりも1つ多い、
充実の炊きこみごはんです。
濃いめのだしをとり、具も一緒に炊飯器で炊くのでかんたん。
残ったら冷凍保存しましょう。

＊1

Q:米用カップと計量カップは違う？

A:容量が違う。
米用カップ（炊飯器についている、米をはかるカップ）は1カップ180mℓ（1合）、計量カップは1カップ200mℓ。

＊2

Q:スーパーの乾物コーナーには、芽ひじきと長ひじきが売られていました。どう違う？どちらを使ってもよいの？

A:

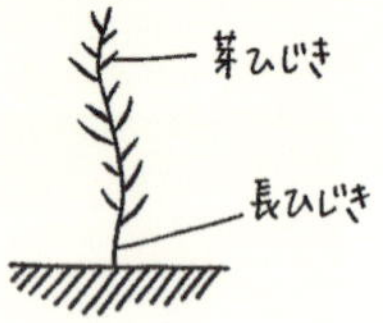

ひじきは、図のように、茎（幹）の部分から芽（枝葉）が出ている。これが、加工の工程で芽が茎からとれてしまう。とれた芽の部分が「芽ひじき」（米・姫ひじきともいう）、茎の部分が「長ひじき」（茎・糸ひじき）である。

・形状や食感に多少違いがあるが、どちらを使ってもよい。長ひじきは、もどし時間がかかり、食べやすいように切って使う。

＊3

Q:だしカップ2のとり方は？

A:

①鍋にカップ2強の湯をわかし、けずりかつお7gを入れる。

②弱火で2分ほど煮る（濃いだしのとり方）。

③ざるでこす。カップ2（400mℓ）をはかる。さます。

難易度★★　選択・判断力↗up　調理技術力↗up　理解力↗up　段どり力・応用力↗up

▼用意する道具

包丁・まな板
… 各1つ

ざる（大・小）
… 各1つ

大・中・小の
ボール… 各1つ

トレー
… 1つ

やかん … 1つ

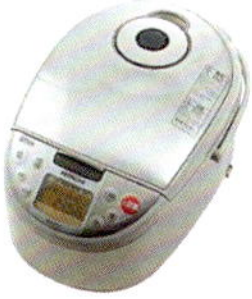

炊飯器
（＋しゃもじ）

▼用意する材料

＊1
米
… 米用カップ2
（360mℓ・300g）

＜具材＞

とりもも肉
… 100g

ゆでたけのこ
… 50g

＊余ったたけのこの保存法は、
⇒P.206

＊2
芽ひじき（乾燥）
… 大さじ1（3g）

にんじん … 2cm
（約30g）

しめじ …½パック
（約50g）

油揚げ …½枚
（約12g）

▼用意する調味料

＜とり肉の下味用＞

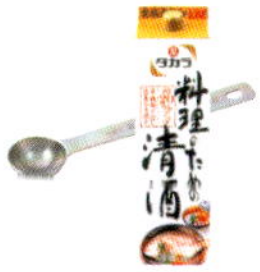

酒 … 小さじ1

しょうゆ … 小さじ1

＜炊飯用＞

×2

＊3
だし … カップ2
（400mℓ）
※だしはさましておくこと
（熱いだしに米をつけると
充分な吸水ができない）

酒 … 大さじ1

しょうゆ … 大さじ1

塩 … 小さじ⅓

▼ 米の洗い方の基本をマスターしましょう。＊1

1

米の2倍以上の水の中に米（360㎖・300g）を入れ、すぐに
さっと混ぜて大急ぎで水を流す（下にざるを置いて、落ちた米粒は拾う）。

2

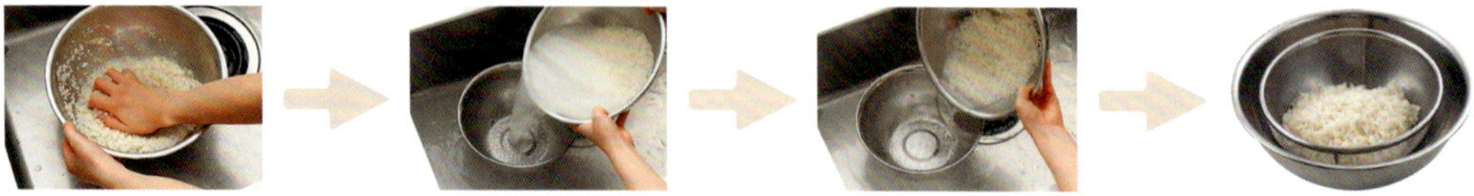

手のひらを使って軽く米を押すようにして、シャッシャッと20〜30回、手早くとぐ。
再び水を入れ、3〜4回すすぎ、ざるにあけて水気をしっかりきる。

3

炊飯器に米を移し、
だしカップ2（400㎖）を
入れて、そのまま30分おく。

＊はじめから調味液につけると、塩分が米の吸水を妨げるので、
先にだし（水）を充分吸わせておく。市販のだしの素は塩分を
多く含む（ふつう小さじ1のだしの素に小さじ⅙の塩）ので、
だしを自分でとらない場合は、水カップ2で吸水させる。
だしの素は炊く寸前にほかの調味料と一緒に入れる。
＊だし400㎖にあとで酒としょうゆを加えるので、合計で米の容量の
約1.2倍、2割増しの水加減になる。具は具の水分でやわらかく
なるので、具のために余分な水分をたさなくてもよい。

▼ ひじきは水でもどし、ほかの具を用意します。

4

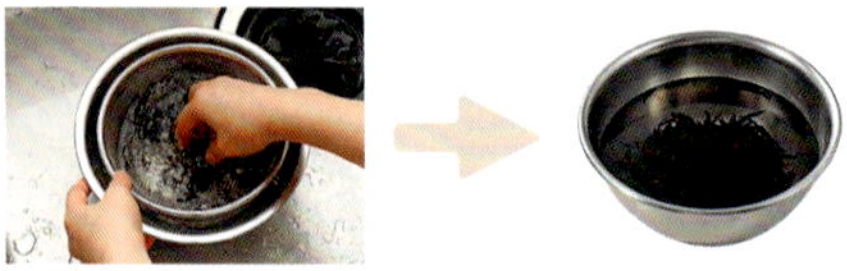

ひじき3gはざるに入れて洗い、たっぷりの水につけて7〜8分おいてもどす＊2。
水を入れたやかんを火にかけておく（**8**の油揚げの油抜き用）＊4。

5

とり肉100gは皮を下にして置き、1㎝角に切り、酒小さじ1としょうゆ小さじ1をまぶしておく。

6

まな板と包丁を洗剤で洗って、たけのこ50gは2cm長さの薄切り、

にんじん2cmは5mm幅の小さなたんざく切り＊3にする。

7

しめじ50gは根元を切り落とし、小房に分ける。

8

油揚げ1/2枚に湯をかけて油抜きし＊4、半分に切って細切りにする。

9

ひじきをざるにとり、水気をきる。

▼ 炊飯器にすべての具材と調味料を入れて、スイッチオン。

10

炊飯器にとり肉（調味料ごと）、野菜、油揚げ、
ひじきを入れ、酒大さじ1、しょうゆ大さじ1、
塩小さじ1/3を加えてざっと混ぜる。

11

炊飯器のスイッチを入れて、炊く。
炊きあがったら、しゃもじを底にさしこみ
全体を返すようにして具をまんべんなく混ぜる。

＊1 Q:おいしくごはんを炊くポイントは?

A:①**米を洗う最初の水はすばやく捨てる**…米は最初の1分間で1割ほどの水を吸収する。水につけたままゆっくり洗うとぬかくさくなってしまう。かき混ぜたら、すぐ水を捨てること。
②**米をとぐときは力を入れすぎないで、やさしく扱う**…研ぐ（磨ぐ）とはいっても、力を入れすぎないように。米粒がつぶれてしまうとおいしく炊けない。
③**炊く30分前には水につけておく**…米の芯まで充分に水を含ませてから炊くために、急ぐときでも20分前には分量の水につけておく。冬は吸水に時間がかかるので1時間くらいが理想。ただし、浸し時間が長すぎると、米の組織が弱くなってくずれやすくなるので注意（ただし、浸し機能があり、洗ってすぐ仕掛けられる炊飯器もある。⇒P.200参照）

＊2 Q:ひじきは水でもどすと何倍に増える?

A:約8倍に増える。もどしすぎないように、考えて料理しよう。ひじきはごみや砂が付着しているのでざるに入れてよく洗う。芽ひじきは小さいので、7〜8分でもどる。長ひじきは20分ほどつけてもどす。

＊3 Q:たんざく切りってどういう切り方?

A:短冊は、和歌や俳句を書きつけるのに使う細長い紙。それに似せた長方形に薄く切ること。レシピにその長さや幅が指定されていれば、従おう。（⇒P.204参照）

＊4 Q:「油抜き」って何?なぜするの?

A:油揚げや厚揚げなどの表面の油を落とす（抜く）こと。ここでは、油の膜を除いて味をしみこみやすくする。（⇒P.36参照）

牛肉とレタスの炒飯《チャーハン》

2人分／調理時間30分／1人分516kcal

チャーハンの素など使わなくても、
パラリとしたおいしいものが作れます。
ごはんは温めて使う、肉は下味＊1をつけ、
いためたら一度とり出す、
強めの中火で、手早くいため、仕上げにしょうゆ！
コツをおぼえて、料理力を高めましょう。

＊1

Q:下味って?

A:材料が生の状態のときや、料理を仕上げる前に、あらかじめ調味料や香辛料で味をつけておくこと。複数の材料をいため合わせるときは、肉や魚介は味のしみこみ具合が違うので、調味のバランスがとりにくい。ここでは、牛肉をいためる前に下味をつけておくことで、しっかり味がつき、ジューシーに。全体の味にメリハリも出て、おいしくなる。

＊2

Q:ねぎ5㎝のめやすは?

A:自分の手のひらや指の長さをはかっておぼえておくと便利。女性の手で指3本の幅くらいが4～5㎝。

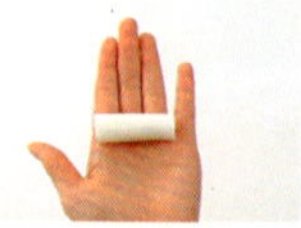

＊3

**Q:ごはん300gって
どのくらい?**

A:ごはん茶碗に軽く2膳分。1膳が150gと覚えておこう。

 難易度★★　選択・判断力↗up　調理技術力↗up　理解力↗up　段どり力↗up

▼用意する道具

包丁・まな板
…各1つ

フッ素樹脂加工
の深型フライパン
…1つ

耐熱皿…1つ
（ごはんを温めるための器）

ボール…2つ

トレー…1つ

樹脂製フライ返し
…1つ

さい箸…1膳

塩とこしょうを
合わせる小皿
…1つ

しょうゆをはかって
入れる器…1つ

ペーパータオル

電子レンジ

▼用意する材料

牛薄切り肉
（切り落とし）
…80g

卵…1個

レタス…2～3枚
（120g）

＊2
ねぎ…5㎝

＊3
ごはん…300g

▼用意する調味料や油

＜牛肉の下味用＊1＞

塩…小さじ1/6

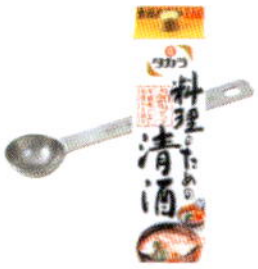
酒…小さじ1

しょうゆ…小さじ1

こしょう
…ひとふり

かたくり粉
…小さじ1
（先に別皿にはかっておく）

サラダ油
…小さじ1

＜いため用＞

サラダ油
…大さじ1/2×2回

＜仕上げ用＞

塩…小さじ1/6

こしょう
…ふたふり

しょうゆ…小さじ1

▼ 牛肉に下味をつけ、野菜を切ります。

1

牛肉80gはひと口大（2～3cm長さ）に切る。

2

肉に、塩小さじ1/6⇒酒小さじ1⇒しょうゆ小さじ1⇒こしょうひとふり⇒かたくり粉小さじ1⇒サラダ油小さじ1を順にもみこむ。
ここで、肉に味をつけておくことで、他の材料といためたときに味にメリハリがつく（⇒下味）。

3

手をよく洗う。レタス2～3枚は洗って水気をよくふいてから、ひと口大にちぎる。＊1

4

まな板と包丁を洗剤で洗う。ねぎ5cmは端を残して縦に2～3mm間隔で切りこみを入れ、切りこみを入れたほうから細かく切る。残った端も細かく切る。（⇒みじん切り）

▼ ごはんは温め、仕上げの調味料は合わせておくのがコツ。

5

卵1個はほぐしておく。

6

ごはん300gは耐熱皿に広げ、ラップなしで温める。＊2

7

塩小さじ1/6とこしょうふたふりを合わせておく。
しょうゆ小さじ1も器に用意する。

いため始めたらスピード勝負。
いためものの調味料は先に合わせておこう。

▼スピード勝負！　材料は手元に置き、手早くいためます。

8

フライパンに油大さじ1/2を温め、
肉を入れて中火でほぐすようにいためる。
色が変わったらとり出す。

9

強めの中火にして油大さじ1/2をたし、卵を流し入れ、
ひと混ぜし、半熟状態の中にごはんとねぎを加え、
手早くごはんと卵をほぐすようにいためる。

10

レタスと**7**で合わせた塩・こしょうを加えて
大きくひと混ぜし、肉をもどして混ぜる。

11

鍋肌＊3から**7**のしょうゆを回し入れて、
すばやく混ぜる。

＊1
Q:レタスをいためものに使うときに注意したいことは?

A:水気をしっかりとること。いためものでもサラダでも、水気があると味がうすまっておいしくないし、チャーハンに水気の残ったレタスを加えては、パラッと仕上がらないので、要注意。

＊2
Q:電子レンジで温めるとき、ラップのある・なし、どう違うの?

A:蒸す、煮る、ゆでるなど、蒸気を逃がさず、しっとりとさせたい料理には、ラップ（またはレンジ用のふた）をする。一方、いためる、焼くなど、水分を蒸発させてカラリとさせたい料理のときは、ラップやふたはしない。ここでは、チャーハンをパラリと仕上げるために、ごはんの水分を蒸発させたいので、ラップはしない。

Q:冷たいごはんを使ってはだめですか?

A:だめ。冷たいごはんを使うと、いためてもなかなかほぐれず、かたまりができてしまう。これをほぐそうとして時間をかけていためていると、加熱しすぎてカラカラになったり、こがしてしまうことになる。

＊3
Q:鍋肌ってどこ?　最後にしょうゆを鍋肌から入れるのはなぜ?

A:鍋肌は、鍋の内側の面の、外周を指す。最後にしょうゆを材料に直接かけるのではなく、材料で隠れていない内側の熱い鍋肌にかけるのは、そうすることで水分が一瞬でとび、しょうゆの香ばしさが際立つため。

・ぐずぐずしているとこげつくので、しょうゆがジャッと蒸発したらすぐ混ぜること!

豚肉のすぐできカレー

4人分／調理時間30分／1人分805kcal　もも肉で作ると1人分602kcal

市販のルウで手軽に、すぐできて、残ったらうどんにできる（⇒P.120）カレーを作ります。
フッ素樹脂加工の深型フライパンで作るので、
こげつきや色つき、鍋へのにおい移りの心配は無用。
冷凍できるように、じゃがいもは入れず、にんじんは細かく切ります。
2人分作るときは、材料は半分にします。

 難易度★★　選択・判断力↗up　調理技術力↗up　応用力↗up

▼用意する道具

包丁・まな板
… 各1つ

＊1
フッ素樹脂加工の深型フライパン
… 1つ

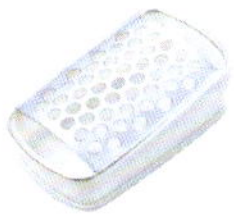

おろし金 … 1つ
（おろし金・小でも）

＊2
穴あき木べら
… 1つ

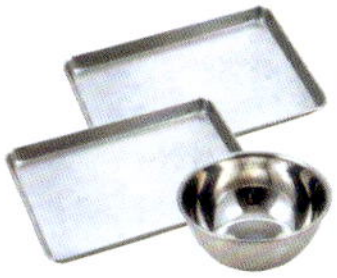

トレー … 2つ
ボール（小）… 1つ

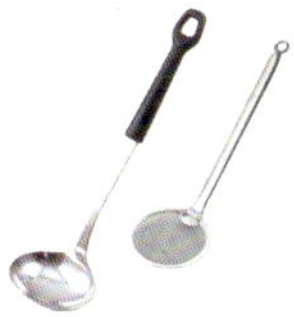

おたま・アクとり
… 各1つ

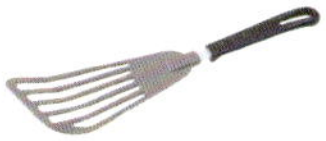

樹脂製フライ返し
… 1つ

▼用意する材料

豚ばら薄切り肉
… 400g

↓代用可

（部位は豚肩ロース肉やもも肉でもOK）

にんにく … 1片
（10g）

しょうが … 2かけ
（20g）

たまねぎ … 2個
（400g）

にんじん
… 100g

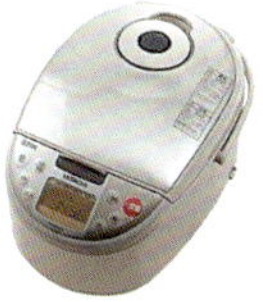

ごはん … 4人分
※最初に炊くのを忘れずに！

▼用意する調味料や油

肉の下味用
（塩小さじ1/4＋こしょうひとふり）
※合わせておく

サラダ油
… 小さじ1

×3

水 … カップ3
（600mℓ）

固形スープの素
… 1個

トマトケチャップ
… 大さじ1

カレールウ
（辛口または中辛）
… 4個（80g）

＊1
Q:鍋で作るとしたら？

A:ここで使用している深型フライパンは、上部24㎝、下部15㎝、高さ6.5㎝のもの（容量約2ℓ）。鍋で作る場合も容量2ℓ以上入る大きさの、ステンレスの鍋が作りやすい。アルミの鍋を使うと、色やにおいがつきやすいので、洗うのに手間がかかる。

＊2
Q:穴あき木べらって何？

A:まん中に穴のあいた木べら。穴があることで、へらにかかる力の抵抗をほどよく逃がしてくれる。具をいためるとき、カレーなど煮こみ料理を混ぜるときにもはねないし、疲れないので、あると便利。

▼ 材料を用意します。

1

豚薄切り肉400gは4〜5cm長さに切り、塩小さじ¼＋こしょうひとふりをまぶしておく。

2

まな板と包丁を洗剤で洗う。＊1

3
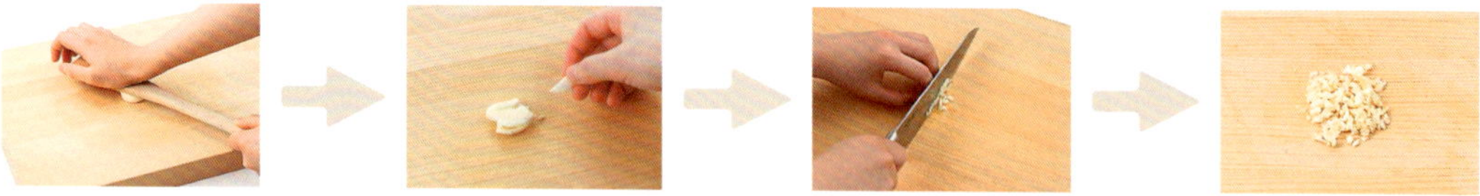

にんにく1片は木べらでつぶし、芽をとる＊2。端から細かく切ってみじん切りにする。

4

しょうが20gは、計量スプーンの柄で皮をこそげ、すりおろす。

5
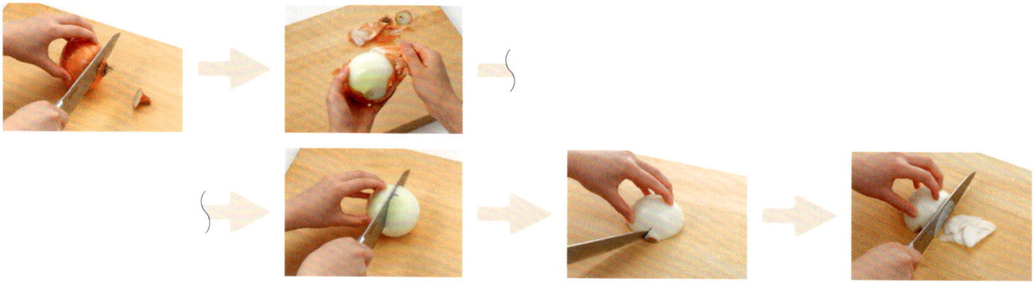

たまねぎ2個は洗って、先端と根を切り落とし、皮をむく。半分に切って、残っていた根元を切りとり、薄切りにする。

6

にんじん100gは薄く切り、ずらして重ね、細切りにする。端から少し大きめのみじん切りにする（⇒あらみじん）。＊3

▼肉と香味野菜をいためてから、野菜を入れていため、調味料を入れて煮ます。短時間でできあがり。

7

深型フライパンにサラダ油小さじ1を入れて中火で温め、肉とにんにく、しょうがを入れていためる。

8

肉の色が変わったら、たまねぎとにんじんを加えて2分ほどいためる。

9

水カップ3を加えて強めの中火にし、沸とうしたらボールのぬるま湯にアクをとり、スープの素1個、ケチャップ大さじ1を加え、中火にする。アクをとりながら7〜8分煮る。ふたはしない。

10

カレールウ4個を入れてよく混ぜてとかす。弱火にして約2分、煮る。

11

皿に盛る。

おたまの金属面でフッ素樹脂加工のフライパンを傷つけないように注意する。

時間の余裕があれば、グリーンサラダも!
P.72の豚のしょうが焼きの添えのようにレタスとトマトを器に盛って、ドレッシングをかける（⇒作り方P.74〜75）

＊1
Q:肉を切ったあとのまな板と包丁は、どうやって洗うのが正しい?

A:洗剤を使ってまず水で洗い、湯で洗う。いきなり湯をかけると、熱で肉のたんぱく質や汚れが固まってしまい、落ちにくくなる。

・素材を切るときは、野菜を先に切り、肉・魚は最後にすると、まな板はさっと洗うだけですむ。ただし、肉・魚に下味をつけたり、調味液につけておくなど最初に調理したい場合は、最初に肉・魚を切り、包丁とまな板を上のように洗うことが大切。

＊2
Q:にんにくの芽はとったほうがよいの?

A:にんにくの中心にある芽はいためるとにが味が出るので、ここではとったほうがよいだろう。

＊3
Q:ここで、にんじんをあらみじんに切るのはなぜ?

A:カレーが残った場合、冷凍するが、にんじんが大きいと、冷凍して解凍した際、食感が悪くなる。作ったときのおいしさを再度味わうためには、みじんに切ったほうがよい。また、細かく切ることで、調理時間も短縮できる。さらに残った1食分（約200g）で、翌日に2人分のカレーうどんにできる（⇒P.120）。

・冷凍するときは袋に入れてできるだけ平らにし、日付を書いておく。2週間以内に食べきろう。

【始末力UP！の料理】

カレーうどん

2人分／調理時間10分／1人分636kcal

1人分だけ残ったカレーも、
めんつゆでのばしてアレンジすれば、
おいしい2人分のカレーうどんができあがり。

＊1
Q:カレーは残っていないけど、急にカレーうどんが食べたくなった！

A:カレーはレトルトのカレー1食分でも代用できる。

＊2
Q:市販のめんつゆはどれでもよい？ 使うときの注意点は？

A:そのままめんにかけて使うストレートタイプなら300㎖を使う。濃縮タイプなら「かけつゆ」にする場合の比率に従う。たとえば、「つゆ1:水2」なら、つゆ100㎖に水200㎖。温めたあと、味見をして、味がうすい場合はしょうゆを、濃い場合は水をたす。

・自分でかけつゆを作る場合は、P.124（なめこおろしそばの1〜3）を参照。

＊3
Q:ねぎの青い部分、どこまで食べることができますか？

A:すべて食べられるが、青い部分はにおいが強く、かたい。小口切りか斜め切りにして3〜4秒煮て使うか、かたまり肉をゆでる際、しょうがと一緒に入れると、肉のくさみ消しになる。

▼用意する道具

包丁・まな板
… 各1つ

×2

鍋 … 2つ
（うどんをゆでる鍋と
カレーつゆの鍋）

＊カレーつゆは、フッ素樹脂の深型フライパンでも。

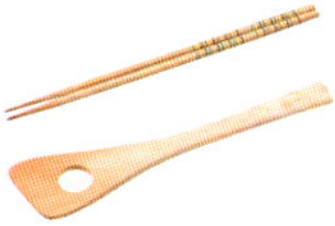

さい箸・
穴あき木べら
… 各1つ

ざる … 1つ

（盛りつけるときの）おたま … 1つ

▼用意する材料と調味料

＊1
残ったカレー
… 1食分
（約200g）

市販のめんつゆ
（ストレートタイプ）
… カップ1½
（300㎖）　＊2

かたくり粉
… 大さじ1½

＊3
ねぎ … ½本

冷凍うどん
（またはゆでうどん）
… 2玉

▼作り方

1

うどんをゆでるための湯をわかす。

2

別の鍋にめんつゆカップ1½と
かたくり粉大さじ1½を入れてよく混ぜ、
カレー200gを加えて混ぜる。

3

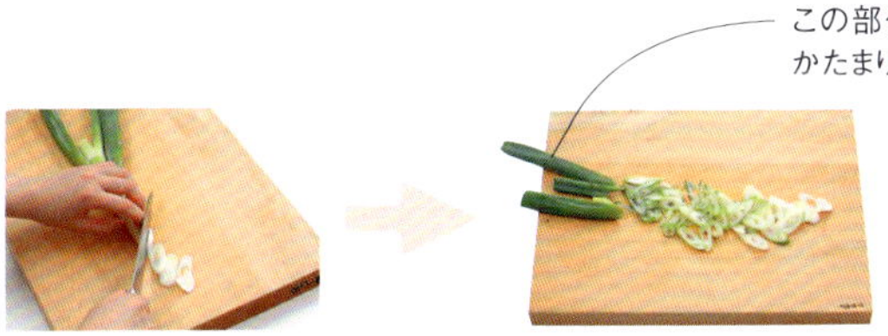
この部分はとっておき、
かたまり肉をゆでるときに。

ねぎは洗って、斜め薄切りにする。青い部分も切って
使うと、色みになる。＊3

4

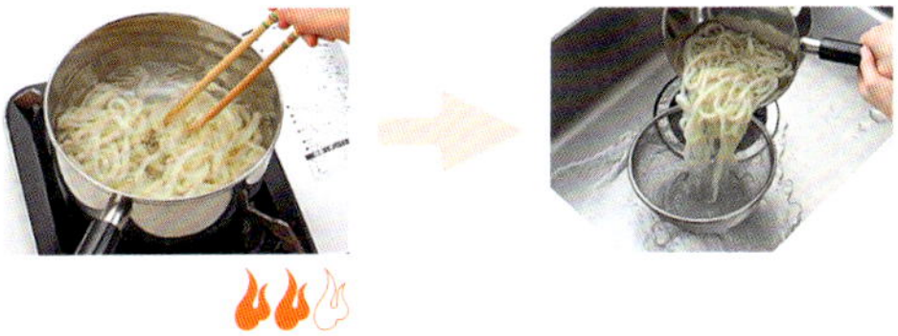

冷凍うどん2玉を**1**の鍋で、表示時間をめやすにゆでる。
ざるにあけ、水気をきって、器に入れる。
※乾めんをゆでた場合は、P.125のそばと同じように洗い、
湯通しして温めて使う。

5

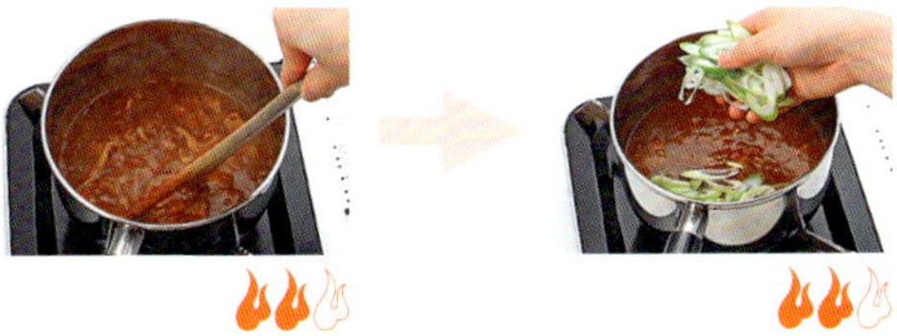

2の鍋を中火にかけ、混ぜながら
とろみがつくまで温める。ねぎを加えて
ワーッと沸とう（ひと煮立ち）したら火を止め、
うどんにかける。

なめこおろしぶっかけそば

2人分／調理時間**15**分／1人分**439**kcal

昼ごはんに、あるいはちょっと小腹がすいたときには日本そば。
ここではそばの上手なゆで方をマスターするとともに、
いろいろと使い回しができて
重宝なめんつゆの作り方を教えます。

＊1
Q:タイマーを持っていません。どうしましょう？

A:そばのゆで時間をはかるためなので、ふつうに時計で注意していればだいじょうぶ。携帯電話のタイマー機能を使っても。

＊2
Q:いろんななめこが売られていますが…？

A:右ページの写真のなめこはふつう、ゆでたなめこでぬめりが多いタイプ（なめこは加熱するとぬめりが出るため）。ほかに生なめこを真空パックしたもの、株採りのなめこなどがある。ここではどれを使ってもOK。

＊3
Q:だいこんは部分によって味が違うそうですが、だいこんおろしに向く部分は？

A:葉のつけ根は甘味があり、生食に、中央部は加熱用、先端（しっぽ）はやや辛味があるので漬けものなど、が通説。よって、つけ根がおろし向きだが、辛いおろしが好みなら、先端を使う。

おろし用に切り分けるときは、写真のように縦1/4に切ると、おろし金でおろしやすい。

＊4
Q:けずりかつお5gってどのくらい？

A:ひとつかみがめやす。片手の

手のひらにのるくらい、コーヒーカップのソーサーにのるくらい。

難易度★★　選択・判断力↗up　調理技術力↗up　理解力↗up　段どり力↗up

▼用意する道具

深型の鍋…1つ
（20㎝・容量4ℓ）

片手鍋…1つ

包丁・まな板
…各1つ

皮むき器…1つ

×2
ボール
…小2つ、
大中は各1つ

×2
ざる
…大1つと小は2つ

みそこし器
（または目の細かいざる）
…1つ

トレー…1つ

さい箸…1膳

＊1
タイマー…1つ

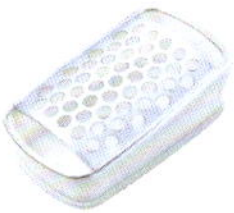
おろし金…1つ

耐熱容器
とラップ…各1つ

※その他、オーブントースターと
電子レンジ

▼用意する材料

そば（乾麺）
…200g

＊2
なめこ…1袋
（100g）

だいこん ＊3
…200g

万能ねぎ…4本

油揚げ…1枚
（25g）

▼めんつゆ（ストレートタイプ）の材料

＊4
けずりかつお
…5g

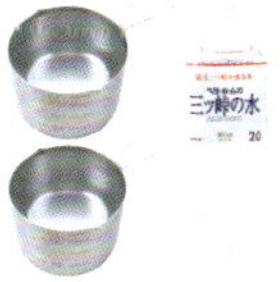
水…カップ2

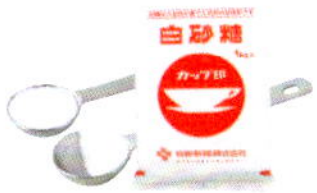
砂糖
…大さじ1½

みりん
…大さじ1

しょうゆ
…大さじ4

▼めんつゆ（ストレートタイプ・つけつゆ濃度）を作ります。

1

片手鍋にけずりかつお5g、水カップ2、砂糖大さじ1½、みりん大さじ1、しょうゆ大さじ4を合わせて中火にかける。

2

沸とうしたら弱火にして4〜5分煮る。

3

みそこし器（ざる）でこす。＊1
さましておく。

▼鍋に湯をわかす間に、具を用意。

4

鍋にたっぷりの水を入れてふたをし、強火にかける。

5

油揚げ1枚はオーブントースターかグリルで、薄く焼き色がつくくらいまで焼く。

6

万能ねぎ4本は根元を切り落とし、半分に切り、重ねて端から切る（⇒小口切り）。

7

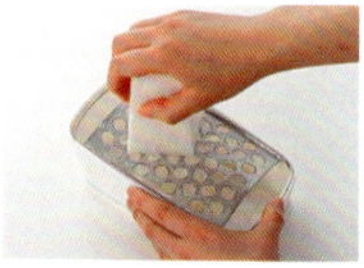

だいこん200gは皮をむく。すりおろし、自然に水気をきる。

8

焼いた油揚げを半分に切り、端から7〜8㎜幅に切る。

9

なめこ1袋はざるに入れてさっと洗い、水気をきる。

10

耐熱容器になめことかぶるくらいの水を入れ、ラップをふんわりかけて電子レンジに1分30秒かける。ざるにあける。＊2

▼湯がわいたら、そばをゆでましょう。

11

沸とうした湯に、そばを重ならないように
ぱらぱらと入れる。

12

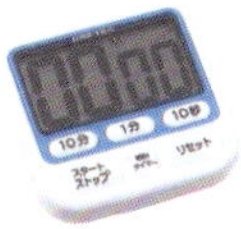

表示時間より30秒
ほど早い時間＊3に
タイマーをセット。

13

すばやく箸で混ぜて、
めんがくっつかないようにする。

14

再度沸とうしたら火を弱め、
ふきこぼれないように注意
しながら沸とうさせ続ける。＊4

15

タイマーが鳴ったら、1本とって水で洗い、
食べてみて芯が残っていなければ火を止め、ざるにあける。

16

水をはったボールの中に
ざるごと入れて、水を流し
ながら、手でもみ洗いする。

17

しっかりと水気をきる。

18

器にそば、だいこんおろしと
なめこ、油揚げ、ねぎをのせ、
めんつゆカップ⅔と
冷水カップ½（材料外）を
合わせて、それぞれにそそぐ。

＊1

Q:作りおきした自家製めんつゆ、保存は？

A:空いているペットボトルに入れて（急須を使って移しかえるとよい）冷蔵庫で保存。使うときは、再度火にかけ、2～3日で使いきる。つけつゆのほか煮ものにも使える。かけつゆにする際は、めんつゆ4に対して水3の割合。

＊2

Q:なめこを洗ったり、電子レンジにかけたりするのはなぜ？

A:なめこは、採ってから時間がたつと、ぬめりにいやなにおいがつき、すっぱくなるため、さっと洗う。雑菌の心配はほとんどないが、この料理では生で食べるので、電子レンジで加熱するか1～2秒ゆでたほうが安心。

＊3

Q:そばを表示時間より短くゆでるのは？

A:ゆで加減を確認する間も加熱が進むから。

＊4

Q:そばをゆでるときは、さし水（びっくり水）をする必要はないの？

A:必要ない。昔、薪などで火を起こしてめんをゆでていた時代は、途中で水を加える必要があった（ワーッと沸とうしたときに水を入れると一気にへこむことから「びっくり水」とも言う）が、現在はガスや電気で火力の調整が容易なため。

・一気に湯の温度を下げるより、ふきこぼれないように火力を調整しながら一定の温度でゆでたほうがおいしくゆであがる。

たらこスパゲティ

2人分／調理時間**15**分／1人分**377**kcal

イタリアンにはない、和風スパゲティの代表ともいえる“たらスパ”。
冷蔵庫にある、ちょっとした材料で作れるのが魅力です。
具の下ごしらえをしながらパスタをゆで始める→ゆであげて→あえる→盛りつけと、
ここでは段どり力が勝負です。

 難易度★★　選択・判断力↗up　調理技術力↗up　理解力　up　段どり力↗up

▼用意する道具

＊1
深型の鍋…1つ

包丁・まな板
…各1つ

ボール（大・小）
…各1つ

ざる（大・小）
…各1つ

トレー…1つ

さい箸…1膳

タイマー…1つ

ゴムべら…1つ

キッチンばさみ
…1つ

▼用意する材料

＊2
スパゲティ
（1.6㎜）
…160g

＊3
たらこ…½腹
（40〜50g）

しその葉…10枚

焼きのり
…1パック
（きざみのりでも）

▼用意する調味料や油脂

酒…大さじ½

塩…大さじ1

バター…10g

＊1
Q:深い鍋がないと、スパゲティはゆでられない？

A:深い鍋がない場合は、パスタを半分に折って、入れれば大丈夫。深型のフッ素樹脂加工のフライパンでもゆでられる。

・ただし、ゆで時間はやや短めに設定して、ゆであげる前にパスタを1本とり出して、かたさをチェックすること。

＊2
Q:1人分のスパゲティ、1.6㎜・80gのめやすは？

A:

このくらいが80g。

・ただし、レシピによってソースに合わせた分量になっているので、きちんと計量しよう。

＊パスタの袋を開けるとき、ちょっと待って！

・いつもなら開封は袋の上辺をチョキチョキ。でも袋を折り曲げる部分がたりなくて保存に困る。そんなことはありませんか？　発想を変えて、横を切ってみよう。パスタをとり出しやすく、また、保存のときには袋を折り曲げやすくて便利。

＊3
Q:たらこ1腹ってどのくらい？

A:

←これは½腹。

・たらこは、対になったこの2つで1腹と数える。→

・この料理では中身をしごき出すので、きれいな½腹でなく、切り子と呼ばれるばらばらになっている安いたらこでもOK。
・残ったたらこは冷凍できる。½腹ずつラップで包み、さらに保存袋に入れて冷凍。袋から中身を出して使うときは半解凍で。焼きたらこにするときは凍ったままで焼く。

▼ たっぷりの湯をわかします。

1

鍋に2ℓの水(材料外)を入れて強火にかける。ふたをする。

▼ 湯が沸とうするまで、たらこの下処理。

2

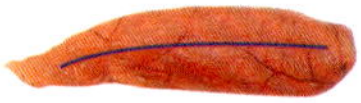

たらこ1/2腹は縦に浅い切りこみを入れる。

3

包丁で中身をしごき出す。

4

大きめのボールに入れて、酒大さじ1/2を加えてときのばす。

たらこの生ぐさみが消え、スパゲティにもからみやすくなる。

▼ 沸とうした湯に塩を入れ、スパゲティを入れます。

5

湯が沸とうしたら、塩大さじ1を入れる。＊1

6

鍋からはみ出したスパゲティがこげないように、いったん弱火にする。スパゲティ160gを束にして持ち、鍋の中央に立てる。

7

放射状に広げる。全体が早く湯に入るように手早く入れこみ、再び強火にする。

ここでタイマーをセット！　スパゲティの袋の表示時間より1分ほど短い時間にセットする。＊2
途中、ふきこぼれそうになったら、火を弱めながら、沸とうさせ続ける。

▼ スパゲティをゆでている間に、ほかを準備。

8

バター10gをたらこの入ったボールに入れておく。

9

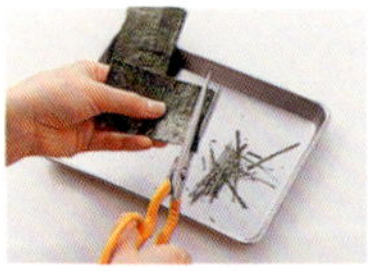

のり1パックをキッチンばさみで2〜3㎜幅に切る。

10

しその葉10枚は流水で洗い、茎を「V」に切りとり
（茎がかたくなければ、垂直に切りとってよい）、
重ねて丸め、端から細く切る。⇒「せん切り」
ボールに水を入れて、しそをさらす。＊3

11

しそを小さいざるにあけ、水気をよくきる。
（ペーパータオルなどでふいても）

▼ スパゲティをたらこバターソースの中へ入れます。

12

タイマーが鳴ったら、1本とり出して
指で切ってみて、ゆで具合をチェック。
まん中に白い芯がかすかに残るくらい
（アルデンテ）になっていたら、火を止める。

13

**注意！　鍋の柄の部分が熱くなっていたら、
必ず乾いたふきんや鍋つかみを使うこと。
ぬれた布で柄を持つと、すぐ熱くなって、とても危険。**

流しに大きいざるを置いて、スパゲティをあける。

14

すぐ水気をきって、**8**のたらこバターの
ボールの中に入れ、全体をよく混ぜる。
余熱でバターが溶け、たらこも
軽く加熱されて、生ぐさみがなくなる。

▼ 皿に盛って、しそとのりをのせます。

15

スパゲティを皿に盛り、のりとしそをのせる。

＊1
**Q:パスタをゆでるとき、
なぜ、塩を入れるの？**

A:塩を入れることで、パスタに下味がつき、ひきしまったゆであがりになる。また、沸点をあげる効果もある。

・パスタソースによって違ってはくるが、おおむね塩の分量は、湯の量の0.7～0.8％をめやすにする。

＊2
**Q:パスタを表示時間より
短くゆでるのはなぜ？**

A:袋の表示時間より短い時間のときに、パスタのかたさを確かめるため。モタモタしていると、加熱が進む。

・なお、冷たいパスタを作るときには、ゆでたあと冷水で冷やすので表示時間より長めに（やわらかめに）ゆでる。

＊3
**Q:しそを水にさらすのは
なぜ？**

A:水にさらしてアク（しぶ味やにが味、えぐみ）をとるため。

・ただし、長くさらすと栄養分や風味がなくなるので、使う直前に用意しよう。
・また、若いしその葉ならアクが少ないので、水にさらさなくても。

しじみのみそ汁

2人分／調理時間10分（砂抜き時間を除く）／1人分30 kcal

二日酔いの朝にはよりおいしく、肝臓にもやさしくてうれしいのが、しじみのみそ汁。＊1
P.44で貝の砂抜きを学んだので、この料理はいたってかんたんにできるはず。
実際のレベルは★といってもかまいません。
注意するのは、みそを入れるタイミング。これはみそ汁全部にあてはまります。

 難易度★★　選択・判断力↗up　応用力↗up

▼用意する道具

ボール…1つ

ざる…1つ

キッチンばさみ
…1つ

鍋…1つ

おたま…1つ

＊2
(あれば)
アクとり…1つ

▼用意する材料

しじみ…100g

万能ねぎ…1本

水…300㎖

▼用意する調味料

みそ
…大さじ1½

＊1
Q:しじみが二日酔いによいと言われる理由は?

A:昔から、「二日酔いにはしじみ汁」と言われてきた。お酒を飲みすぎると、アルコールを分解する機能をもつ肝臓に負担がかかってしまう。しじみには、必須アミノ酸がバランスよく含まれており、肝臓の働きを助け、回復を早めるからだ。

・ほかにも、タウリンなどなど肝臓によい、さまざまな栄養分が多く含まれる。身も残さずに食べたい。

＊2
Q:あくとりって何?

A:アク(⇒P.133)をすくうための道具。細かい網目でできているので、アクだけを上手にすくえる。しかし、なければ、おたまを使って、アクだけすくうようにする。

▼しじみの砂抜きをします。

1

しじみ100gはざるに入れてボールに入れる。水またはごく薄い塩水（水カップ1に塩小さじ⅓の割合）を、しじみが半分ひたる程度まで入れる。＊1

2

冷蔵庫には入れない！

暗くて静かなところに置く。しじみの吐く水が飛び散ることがあるので、鍋のふたなどをし、呼吸ができるようにすき間をあけること。「砂抜きずみ」として売られているものなら約30分、とりたてのものなら2～3時間そのまま置く。（冷蔵庫には入れない！＊2）

▼しじみを洗います。

3

しじみをざるごととり出し、塩水（下のボールに貝が吐き出した砂がたまっている水）を捨てる。ボールに水を入れ、貝を入れて殻を何度かこすり合わせてよく洗う。

4

最後に流水で洗い、ざるにあけて水気をよくきる。

＊1
Q：砂抜きの際、塩水の濃さはあさりとしじみで違う？

A：違う。海にいるあさりやはまぐりは、海水程度の塩水（塩分約3％）。淡水と海水が混ざったところにいるしじみは、真水または塩分約1％（水カップ1に塩小さじ⅓の割合）の塩水。なお、貝が半分ひたる程度の水量にするのは、貝が息をできるようにするため。

＊2
Q：砂抜きの間、冷蔵庫に入れていけないわけは？

A：冷蔵庫は温度が低くなりすぎて、貝が呼吸できなくなるため。

▼みそ汁を作ります。

5

鍋にしじみと水300mℓを入れて
中火にかける。＊3

6

沸とうしたらアク＊4をとり、
殻が開いたらすぐ弱火にする。

7

おたまにみそ大さじ1½（24g）を入れ、
汁をとってみそをかき混ぜてとく。とけたら
混ぜ入れ、煮立つ前に火を止める。＊5

2人分（24g）のみそを
おたまにのせると、このくらい。

▼椀によそい、ねぎ（香りのもの・吸い口）は最後に。

8

椀にみそ汁
をよそう。

9

万能ねぎ1本は洗って、
キッチンばさみで細かく切って散らす。
（もちろん包丁で切ってもよい）

＊3
Q：だしはとらなくてよい？

A：しじみのうま味が出るので、だしはいらない（あさりのみそ汁の場合も同様）。

＊4
Q：アクって何？

A：肉や魚介類の独特のくさみなど。

・ゆでると泡のように浮かび上がってくるので、これをすくいとる。

＊5
Q：みそ汁の基本について教えて

A：基本のみそ汁1椀分は、だし150mℓ、実50g、みそ（中辛として）12gがめやす。
みそ汁をおいしく作るポイントは、みそを長く煮すぎないこと！

・貝のみそ汁は、うま味が出るので水でよいが、それ以外の実のときにはだしをとる（⇒P.192～194参照）。毎日使う鍋でどのくらいの分量が家族のみそ汁の分量か覚えておけば、カップではからなくても作れるようになる。煮つまる水の量と実が入って増す分はほぼ同じ。
・実にする材料が、いもや根菜類なら、切ってだしの中でやわらかくなるまで煮てからみそを入れる。貝は殻が開いたらすぐ。とうふ、なめこなどのやわらかいものは、だしで温める程度でみそを入れる。ねぎなどの青みは、みそをとかしてから入れる。みその香りをいかすには、ふうっと煮立つ寸前（煮えばな）に火を止める。
・貝類は何度も煮返すと中の身が落ちてしまうし、味も悪くするので、遅れて食事をする人の分は、汁に入れずにとっておくとよい。

わかめと焼き麩《ふ》のすまし汁

2人分／調理時間**40**分／1人分**14**kcal

こんぶとけずりかつおでとる「一番だし」＊1をマスターします。
だしのとり方は、和食の基本中の基本だからです。
料亭の味にも負けない、おいしいすまし汁が家庭で作れます。

 難易度★★　選択・判断力↗up　調理技術力↗up

▼用意する道具

包丁・まな板
… 各1つ

×2
鍋 … 2つ

ボール（中・小）
… 各1つ

みそこし器
（または目の細かいざる）
… 1つ

おたま … 1つ

さい箸 … 1膳

ペーパータオル

ふきん … 1枚

▼用意する材料

＊2
こんぶ … 5㎝
（3g）

＊3
けずりかつお
… ひとつかみ
（5g）

こまつな … 50g

↓代用可

（しゅんぎくなど）

わかめ（塩蔵）
… 10g

↓代用可

（わかめ（乾燥）
… 1g）

小さな焼き麩
… 10個

水 … 350㎖

▼用意する調味料

塩 … 小さじ$\frac{1}{6}$

しょうゆ
… 小さじ$\frac{1}{4}$

＊1
Q:「一番だし」って何？

A:最初にとっただしのこと。そのだしがらに約半量の水を入れて再び煮出してとったのが二番だし。吸いものでは、こんぶとかつおぶしでとった一番だしを使い、塩としょうゆで調味（すまし仕立て）する。二番だしはみそ汁や煮ものに。

・すまし汁は季節感を重んじ、実や添えの素材にも気を配りたい。

＊2
Q:だしをとるこんぶの種類と特徴について教えて。

A:おなじみは、利尻《りしり》、羅臼《らうす》、日高《ひだか》（三石《みついし》）。

・利尻こんぶは、肉厚でまろやか。風味のよい透明なだしがとれる。羅臼こんぶは、幅が広く、あめ色をしており、うま味があって香り高いが、汁は多少あめ色ににごる。日高こんぶは、コクのある味わいが特徴で、煮ものにも使える。

＊3
Q:けずりかつお5gはどのくらい？

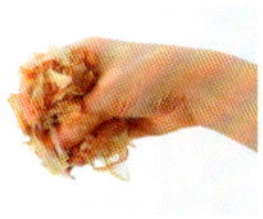

A:手で軽くひとつかみした分量。コーヒーカップの受け皿にのるくらい。

・ここでのけずりかつおは、ちょっと値段が高めでも上等なものを使いたい。

▼こんぶは30分、水につけてうま味を引き出します。

1 

こんぶ5㎝は
乾いたふきんでふく。

2 

鍋に水350mℓと
こんぶを入れて、30分おく。

▼汁の実を用意します。

3 

わかめ10gはふり洗いして塩を落とし、
水に3～4分つけておく。＊1

4 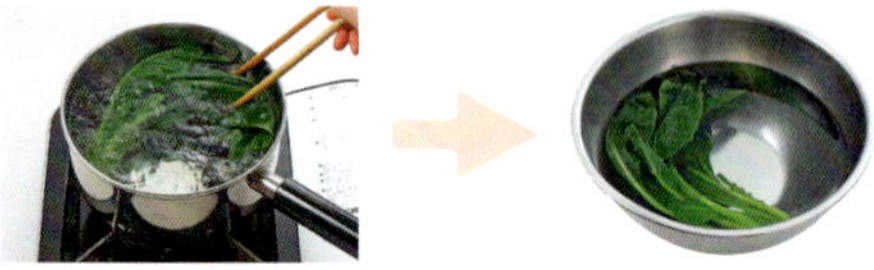

別鍋に湯をわかし、こまつな50gをさっとゆで、水にとってさまし、水気をしぼる。

5 

根元を切りとり、半分に切ってから3㎝長さにそろえて切る。

6 

わかめの水気をきり、かたい部分を切り落とす。重ねて3～4㎝長さに切る。

▼一番だしをとって、調味します。

7

2の鍋を弱火にかけ、プツプツと泡が浮かび、沸とう直前になったら、こんぶを引き上げる。＊2

8

中火にし、けずりかつお5gを入れ、再び沸とうしたら、火を止める。1～2分そのままおく。＊3

9

ふだんのだしはペーパータオルを敷く必要はないが、ここはより澄んだ、きれいな汁にしたいので、ペーパータオルでこす。

みそこし（または、ざる）にペーパータオル（または、かたくしぼったぬれぶきん）を敷き、だしをこす。

10

こしただしをカップ1$\frac{1}{2}$はかって鍋に入れ、塩小さじ$\frac{1}{6}$、しょうゆ小さじ$\frac{1}{4}$を加えて混ぜ、焼き麩10個を入れる。食べる直前に、中火にかけて、温める。

▼椀に実を入れて、汁をそそぎます。

11

椀にこまつなとわかめを入れて、**10**の汁をそそぐ。

＊1

Q:乾燥わかめを使う場合は？

A:乾燥わかめの場合、水でもどすと約10倍に増えるので、ここでは約1g。商品によってもどす時間に差があるが、10分ほどつける。

［乾物のもどし方と重量の変化］

食品	もどし方	重量変化
干ししいたけ	水で手早く洗い、ひたひたの水に20～40分ひたす＊	5倍
切り干しだいこん	たっぷりの水で洗って、軽く水気をしぼり、たっぷりの水に約10分	4.5倍
ひじき	水で洗い、たっぷりの水に、芽ひじきは7～8分、長ひじきは約20分	8倍
乾燥わかめ	水に5～10分つける	10倍

＊ 干ししいたけのうま味を充分引き出すには、ひたひたの水（しいたけの頭が見えかくれするくらい）に長くつけたい。前日の夜に密閉容器に入れて冷蔵庫にひと晩おいておけばよい。しかし、どうしても急ぐときには、電子レンジを使う次の方法を。

①耐熱容器に、干ししいたけとひたひたの水を入れる。

②しいたけの上に直接ラップをかぶせ（落としぶた）、電子レンジで1分加熱。

＊2

Q:だしをとったあとのこんぶの利用法は？

A:こんぶは、キッチンばさみで4～5㎜幅に細く切って、袋に入れて冷凍しておく。20㎝分（約50g）たまった時点で、当座煮を作ってみよう。

①鍋にこんぶと水150㎖、酢小さじ$\frac{1}{2}$を入れ、中火にかける。

②煮立ったら弱火にし、ふたをして約20分煮る。

③みりん大さじ$\frac{1}{2}$、砂糖小さじ$\frac{1}{2}$、しょうゆ小さじ2と$\frac{1}{2}$を加えて煮汁がほぼなくなるまで煮る。

＊3

Q:吸いもののだしに、こんぶとかつおぶしの両方を使うのはなぜ？

A:こんぶのうま味成分であるグルタミン酸と、かつおぶしのうま味成分のイノシン酸が合わさると相乗効果で何倍もうま味が増しておいしいから。

残り野菜のミネストローネ

2人分／調理時間20分／1人分約96kcal

冷蔵庫に少量ずつ残った野菜たち。
そのまま放っておけば、しなびて捨てることになりかねません。
具だくさんのスープにしましょう。
野菜不足解消のうえ経済効率も抜群！
パスタを入れれば軽食としても充分です。

＊1
Q:アクとりって何？

A:料理を煮る際に出るアク（しぶ味やにが味、くさみなど）をとるための道具。網目が細かいので、きれいに手早くすくえる。なければ、おたまですくえばよい。

＊2
Q:残り野菜なら、何でも代用できますか？

A:アクが少なく、早く煮える野菜なら代用できる。具体的には、以下のような野菜が全部で250g前後あればOK。

・かぶ（葉も）、ブロッコリー（茎の部分は薄切りにする）、セロリ、ズッキーニなど。ベーコンのほかに、冷蔵庫に残っているハムやソーセージも入れるとおいしい。

＊3
Q:固形スープの素を$\frac{1}{2}$個切って使ったあと、保存で気をつける点は？

A:ラップに包んで、冷蔵庫で保存する。スープやカレーなどを作るときに、早めに使おう。

＊4
Q:塩小さじ$\frac{1}{6}$のはかり方は？

A:塩小さじ$\frac{1}{3}$をはかって、それを半分にする。

①塩小さじ1をすりきる。

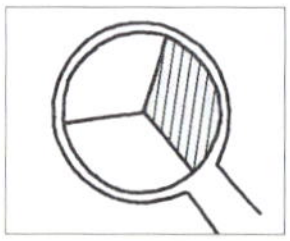

②3等分の線を引いて、$\frac{2}{3}$を除く。（→小さじ$\frac{1}{3}$）

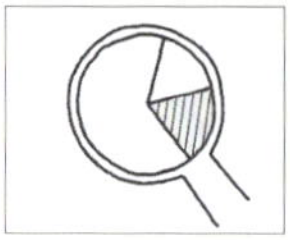

③2等分の線を引いて、半分を除く。（→小さじ$\frac{1}{6}$）

難易度★★　選択・判断力↗up　調理技術力↗up　応用力↗up　始末力↗up

▼用意する道具

包丁・まな板
…各1つ

鍋…1つ

皮むき器…1つ

＊1
（あれば）
アクとり…1つ

ボール（小）
…1つ

トレー…1つ

おたま…1つ

たわしまたは
スポンジ…1つ

▼用意する材料＊2

キャベツ
…40～50g

たまねぎ
…20～30g

じゃがいも
…80～100g

にんじん
…20～30g

ミニトマト…
4～5個（40～50g）

ベーコン…1枚
（20g）

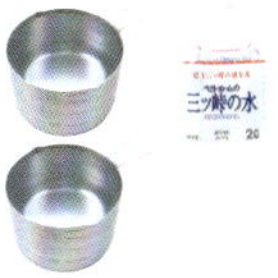
水…カップ2
（400㎖）

▼用意する調味料

スープの素
（顆粒）…小さじ1

↓または

（＊3
固形スープの素
…½個）

＊4
塩…小さじ⅙

こしょう
…ひとふり

▼材料を小さめ、薄めに切ります。

1

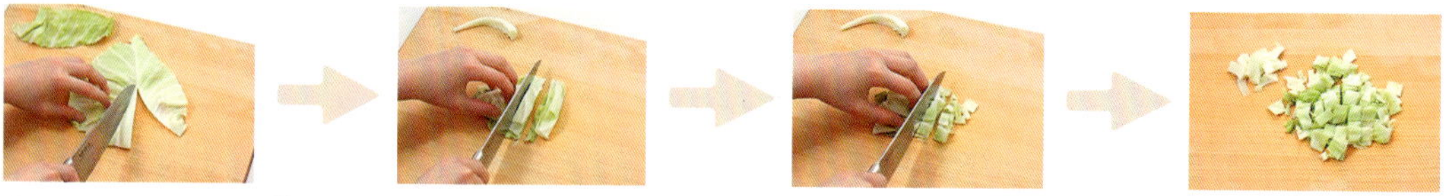

キャベツ50gは芯があればとり、芯は薄切りに、葉は1cm角くらいに小さく切る。

2

たまねぎ30gは皮をむき、
はしから1cm幅に切る（芯が最後に残るので、捨てる）。

3

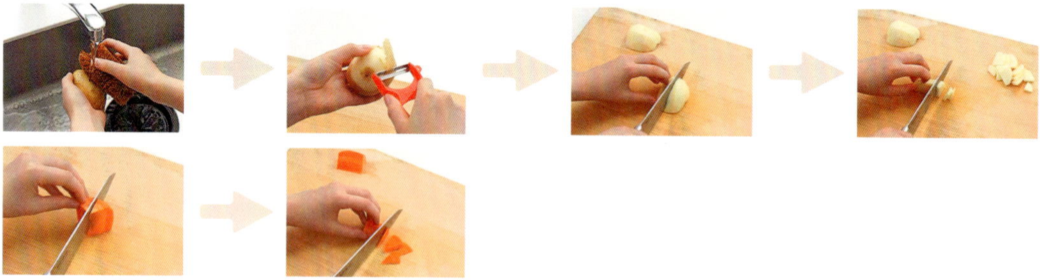

じゃがいも100gはよく洗って＊1 皮をむき、¼に切ってから3～4mm厚さのいちょう切り、
にんじん30gは薄いいちょう切り＊2 にする。

4

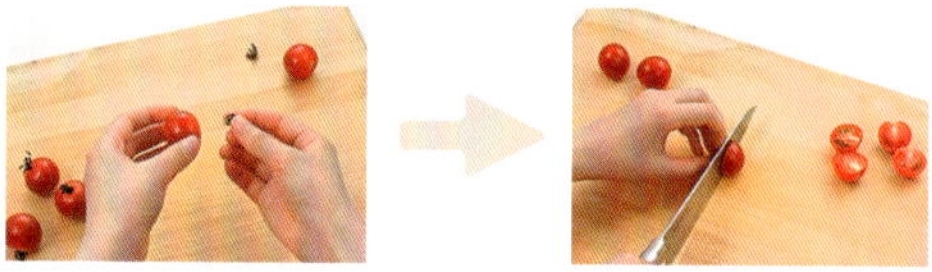

ミニトマト4～5個は洗ってへたをとり、2つに切る。＊3

5

ベーコン1枚は半分に切って重ね、1cm幅に切る。

*1
Q:じゃがいもは皮をむくのに、たわしで洗わないとだめですか?

A:でこぼこして土も残っているので、たわしやスポンジでしっかり洗う。

*2
Q:「いちょう切り」ってどんな切り方?

A:いちょうの葉の形に似せた切り方。写真のようにまず¼に切ってから、端から切っていけばよい。この料理は、にんじんはさらに小さく切りたいので、⅛に切る。

*3
Q:トマトの皮はむく? むかない?

A:舌ざわりよく仕上げたいときには、皮をむく。ここでは、冷蔵庫の残り野菜で手早く作るスープであり、ミニトマトを使っているので、へたはとるが皮まではむかない。しかし、トマトの皮は加熱してもやわらかくならないので、ふつうのトマトでスープやトマトソースを作るときにはむいたほうがよい。

・トマトの皮は以下のようにしてむくとかんたん!
(⇒熱湯につける方法は、「湯むき」という)

へたの近くにフォークを刺し、全体を熱湯に3～5秒つける。

or

直火で2～3秒あぶる。

↓

すぐに冷水につける。皮がはがれてくるので、そこから手でむく。ミニトマトも同様に湯むきできる。

※冷凍しておいたトマトに水をかけると皮がするりとむける。トマトが余ったら冷凍しておくと便利。

▼トマト以外の野菜とベーコンを、7～8分煮て、最後にトマトを入れます。

6

鍋に、水カップ2、スープの素小さじ1、トマト以外の野菜とベーコンを入れる。

7

中火にかけ、沸とうしたらアクをとり(ぬるま湯を入れたボールにとって、すすぐ)、弱めの中火で、ふたをして7～8分煮る。にんじんがやわらかくなったらOK

8

味をみて、塩小さじ⅙、こしょうひとふりを入れる。もう一度味を確認したら、トマトを加え、ひと煮立ちしたら、火を止める。

【応用力UP!】パスタを加える場合は?

6の部分を次のようにかえれば、パスタ入りのミネストローネができあがる。

6 鍋に、水カップ2¼(450㎖)、スープの素小さじ1、トマト以外の野菜、ベーコンのほか、スパゲティ10gを1～2㎝長さに折って入れる。
尚、**8**の最後の味つけのとき、塩を多め(小さじ⅓)に入れること。

キムチどうふ鍋

2人分／調理時間20分／1人分516kcal（ラーメン・卵なし）　ラーメン1食分と卵1個十で1人分683kcal

熱々で、辛くて、野菜もたっぷりで体によい！
そんな韓国鍋を作りましょう。
豚ばら肉をさっとゆでてから、ごま油でいためるのがミソ。
最後はラーメンでしめると、おいしい。

難易度★★　選択・判断力↗up　調理技術力↗up　段どり力・応用力↗up

▼用意する道具

包丁・まな板
… 各1つ

＊1
すき焼き鍋
… 1つ

トレー … 2つ

アクとりまたは
おたま … 1つ

ボール（小）
… 1つ

さい箸 … 1膳

▼用意する材料

豚ばらかたまり肉
… 200g

＊2
もめんどうふ
… ½丁（150g）

にら
… ½束（50g）

ねぎ … 50g

もやし … 100g

はくさいキムチ
… 200g

インスタント
ラーメン
… 1〜2食分

卵 … 1〜2個

▼用意する調味料や油

ごま油 … 小さじ1

中華スープの素
（水300mℓに対して）
… 小さじ2

しょうゆ … 小さじ2

水 … 鍋の深さに
合わせて適量
ここでは300mℓ

＊1
Q:なぜ、土鍋ではなくすき焼き鍋で作るの?

A:うま味とコクを出すために、まず、ごま油で肉と野菜をいためてから煮るのだが、土鍋でじかにいためると、割れる危険性がある。深型のフライパンや中華鍋、ステンレスの鍋でもおいしくできる。

＊2
Q:絹ごしどうふではだめ?

A:絹ごしでもできる。つるりとした食感はおいしいが、もめんに比べるとやはりくずれやすいのが難点。

▼ 材料を用意します。

1

とうふ150gは食べやすい大きさに切る。

2

にら50gとねぎ50gを洗い、にらは根元のかたい部分を切り落として
4cm長さに、ねぎは2〜3cm長さ＊1 に切る。

3

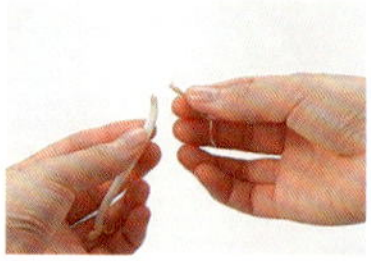

もやし100gを洗って、ざるにあける。（余裕があれば）ひげ根をとる。＊2

4

豚肉200gを2cm厚さに切る。

＊1

Q:素材を切るときの長さのめやすは？

A:自分の手や指の長さをはかって覚えておこう（手ばかり）。右のイラストは、大人の女性の平均的長さのめやす。

・料理力をつけていくうちに、目だけでもだいたいの長さがわかる（目ばかり）ようになるはず。

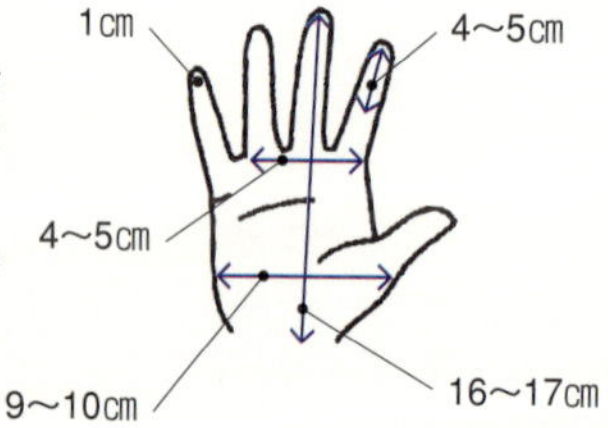

＊2

Q:ひげ根ってどれ？
なぜとったほうがよいの？

A:

これがひげ根。もやしの根。めんどうならとらなくてもよいが、とったほうが、まず見た目がきれい。そして、口あたりがよい。

▼肉は一度ゆでてから、ごま油でキムチといためます。

5

鍋に湯をわかし、肉を入れて
表面が白くなるまで5〜6秒
ゆでて、とり出す。

くさみや余分な
脂肪が抜ける!

6

湯を捨て、鍋の水気をしっかりふいてから
ごま油小さじ１を入れて中火で熱し、
肉とはくさいキムチ200gを入れていためる。

油がはねるので、注意!

7

材料の頭がやや見えるくらいまで水（ここでは
300mℓ。鍋によって調整する）を入れて強火にし、
沸とうしたらアクを、ボールのぬるま湯の中にとる。

8

スープの素小さじ2（**7**で入れる水300mℓに対して。
入れた水の量によって調整する）、ねぎ、
もやしを加えてひと煮立ちさせる。

9

とうふとにら、しょうゆ小さじ２を加え、
煮えた分から食べる。

しょうゆを最後に入れる
のは、味つけ＋香りづけ!

【応用】具をだいたい食べ終わったら、〆にはラーメン！

10

汁がなくなっていたら水とスープの素をたし
（ラーメンについているスープの素少々でも）、
ラーメンを入れて煮る。仕上げに卵をといて、
回し入れる。卵が半熟になったら食べごろ。

基本をしっかり学んだら、同じ料理で、材料や味つけを変えてみる。献立を考えたり、冷蔵庫にある材料で作ってみたり。

P.66のコラムで、「料理を決めてから、冷蔵庫をチェックし、
不足の材料を買いに行こう」と書きました。でも、「応用力」がある人は、
「冷蔵庫の中にある材料を見て、何の料理を作るか決める」ことができます。

1.応用力をつけるには、まず、基本をみっちりやる

めんどうだなあと思っても、まずは材料や調味料をきちんとはかり、レシピを注意深く読み、本のとおりに料理を作ってみること。煮る・焼く・いためる・蒸すなどの調理の基本とコツをひととおり覚えてしまえば、食材が変わっても、だいたいの見当がついてくる。

2.材料を変えて2回、3回と、作ってみる。品数も少しずつ増やしてみる

本のとおりに作ったあとは、材料を変えて作ってみよう。たとえば、P.34の「みず菜と油揚げの煮びたし」を2回目に作るときは、みず菜をかぶの葉にして作ってみる。ついでにP.92の「ぶりの鍋照り」に出ている「かぶの甘酢漬け」も作ってみよう。3回目には、P.92の「ぶりの鍋照り」を主菜に、副菜はP.34の「みず菜と油揚げの煮びたし」を、みず菜をかぶの葉に変えて作る。これにごはんを加えればりっぱな献立だ。①米を洗ってセット⇒②湯をわかす（油揚げの油抜き用とだし用とで多めに!）⇒③ぶりの下処理⇒④だしをとる⇒⑤かぶとかぶの葉、油揚げを切り、甘酢漬けを作る⇒⑥かぶの葉と油揚げを煮始める⇒⑦ぶりを焼く、といった具合（⑥と⑦を並行してできれば、なおよい）。頭も体もフル回転で、大忙しだが、これもやっていくうちにコツがつかめてくる。

3.冷蔵庫の中のもので、何が作れるか、考えよう

最終的には、【冷蔵庫の中身を見て、本の中で作れる料理がないか?】を考えよう（P.227の食品索引も活用）。基本がわかっていれば、材料が少しくらい違っても作れるはず。万一、失敗しても気にしない、気にしない。「失敗は成功のもと」、次にチャレンジするおいしさのもとになってくれるはずだから。

難易度★★★

誰かに食べさせたい、人に自慢できる
定番料理

さあ、ここからは「料理上手」と言われる料理にチャレンジしよう。

ここで出てくる料理は、難易度★★よりもさらに
材料が増えたり、下ごしらえに手間がかかったりする。
いためる、焼くなどの調理技術や段どり力もぐっと上がり、
揚げるという作業もマスターする。

人にごちそうして、「おいしいね!」の笑顔をもらう。料理力は幸せ力だ。

チンジャオロースー

2人分／調理時間 30分／1人分 253kcal

おなじみ中華の1品が、基本調味料で作れます。
コツは材料の大きさをそろえること、
牛肉に下味をしっかりつけること、
そして、強火で手早く仕上げることです。
野菜のせん切りやみじん切りも復習、マスターします。

＊1
Q:鉄の中華鍋で作る場合、注意すべきことは?

A:強火で鍋をよく熱してから、油を入れる。

・逆にフッ素樹脂加工のフライパンは、何も入れずに強火で熱してしまうと表面のコーティングがいたみ、こげつきやすくなる。

＊2
Q:焼き肉用の薄切りを使うのはなぜ?

A:5㎜厚さくらいの焼き肉用を使うと、切りやすく、見た目もきれいに仕上がるから。

・ふつうの薄切り肉（もも）を使うのなら、端から切らず、まず、仕上がりの長さになるように切り、肉の向きをかえて重ね、端から切っていく。加熱すると縮むので幅は広め、1.5㎝くらいに切る。

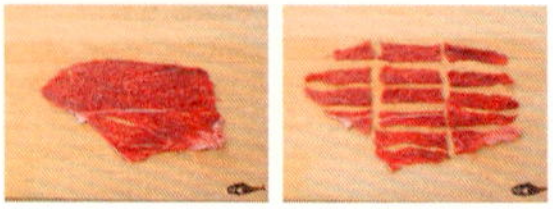

▲切ったあとのイメージ。こんな感じになる。

＊3
Q:赤ピーマンも使ってみたいのですが…?

A:赤ピーマンは甘味と香りがあり、加熱調理するとさらに鮮やかな色になるので、チンジャオロースーに加えると味も彩りもより豊かに。

・1個を赤、残りをふつうの緑のピーマンにするときれいだ。なお、パプリカは別名ジャンボピーマンといわれるように、ピーマンより肉厚で大きい。赤のパプリカを使うなら1/3個（約40g）くらいで。

赤ピーマン　　パプリカ（赤）

難易度★★★　選択・判断力↗up　調理技術力↗up　理解力↗up　段どり力↗up

▼用意する道具

包丁・まな板
… 各1つ

＊1
フッ素樹脂加工の深型フライパン
… 1つ

ボール（大）
… 1つ

ボール（小）
… 1つ

調理皿
… 2つ

トレー（大）
… 1つ

さい箸・スプーン
… 各1つ

樹脂製フライ返し
… 1つ

穴あき木べら
… 1つ

▼用意する材料

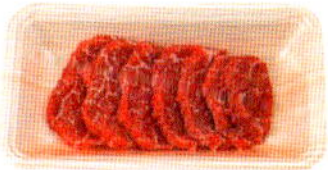

＊2
牛もも肉
… 100g
（焼き肉用5㎜厚さ）

ゆでたけのこ
… 50g
（太いところ）

＊余ったたけのこの保存法は、
⇒P.206

×4

＊3
ピーマン
… 4個（150g）

にんにく … 小1片
（5g）

しょうが
… 小1かけ（5g）

▼用意する調味料や油

<牛肉の下味用>

酒 … 小さじ1

しょうゆ
… 小さじ1

サラダ油
… 小さじ1

かたくり粉
… 小さじ1

<いため用>

サラダ油
… 大さじ1½

<仕上げ調味用>

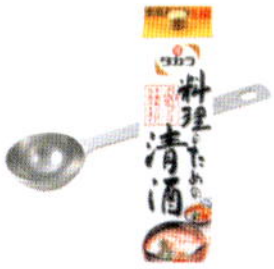

酒 … 大さじ1

しょうゆ
… 大さじ½

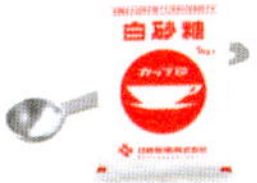

砂糖
… 小さじ¼

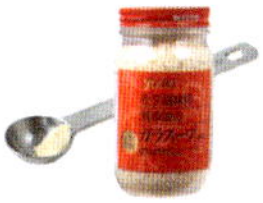

中華スープの素
… 小さじ¼

塩 … 小さじ⅛

▼野菜を切ります。

1

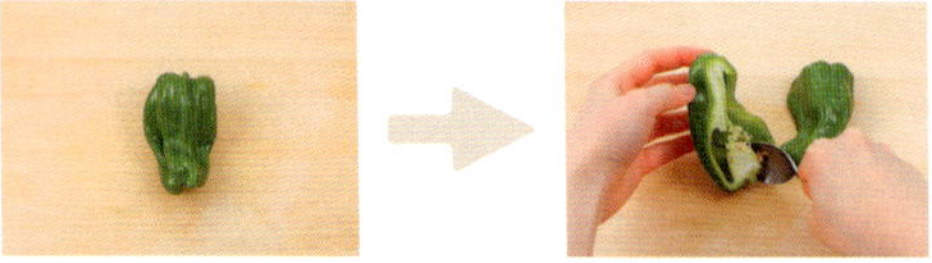

ピーマン4個は縦半分に切り、
へたをスプーンでとって種とわたをとり除く。

2

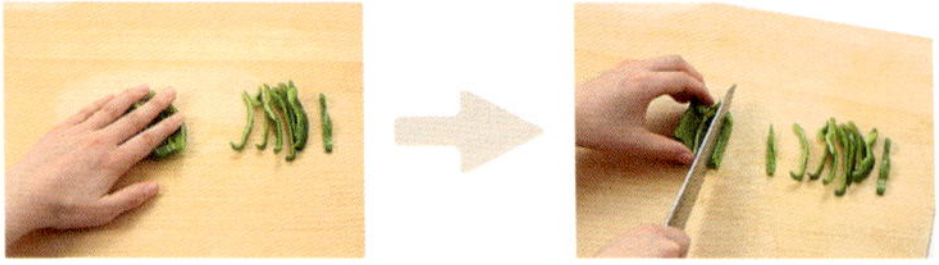

上からピーマンを押さえるようにして
1回平らにする。5～6㎜幅の細切りにする。

3

たけのこ50gは5㎝長さに切り、薄切りにする。ずらして重ね、3～4㎜幅の細切りにする。

4

しょうが5gは皮をこそげ、繊維にそって＊1 薄切りにする。

5

薄切りにしたものを何枚かずらして重ね、端からせん切りにする。
せん切りにしたものの向きを変え、端から細かく切る。
包丁の先を手で軽く押さえて固定し、包丁を細かく上下に動かしながら、
さらに細かく切る（⇒みじん切り）。＊2

＊1
Q:しょうがの繊維ってどこ？

A:写真の⇔が繊維の向き。皮に走っている筋目に直角に切ると、繊維に平行に（そって）切るということになる。しょうがの薄切りやせん切りのときには、繊維にそって切ったほうがきれい。

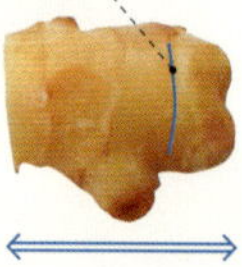

＊2
Q:しょうがやにんにくのみじん切りは冷凍できる？

A:できる。多めに切って、小分けしてラップで包んで冷凍しておくと便利。

6

▲包丁の腹でつぶす場合

にんにく小1片を木べらでつぶす（包丁に慣れたら、包丁の腹でつぶしてもよい）。芽をとる。＊3

7

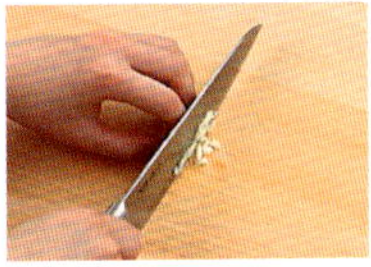

端から細かく切る（⇒みじん切り）。

▼ 肉を切って、下味をつけます。

8

まな板をさっと洗う。＊4

9

かたくり粉小さじ1をはかっておく。

10

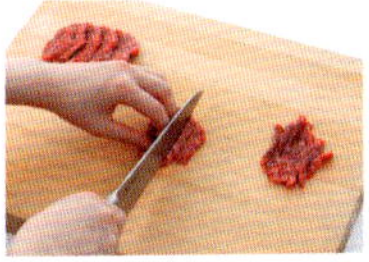

牛肉100gを端から5～6㎜幅の細切りにする。

11

酒小さじ1、しょうゆ小さじ1、サラダ油小さじ1を順番に肉にもみこむようにして混ぜ、最後に9のかたくり粉小さじ1を混ぜ、そのまま5分ほどおく。＊5

＊3

Q:にんにくの芽はとる？ とらない？

A:とりたい。残しておくと、こげやすく、にが味も出るので、できれば、除こう。

＊4

Q:まな板の使い方で注意したいことは？

A:まな板をきれいに衛生的に使うのは、基本中の基本。食中毒を起こさないためにも大切。以下の3点は習慣づけよう。

①使い分ける
「加熱が必要な生の肉や魚」と「野菜や、加熱せずに食べられるもの」で使い分ける。

②使う前には水でぬらす
乾いたものを切るとき以外は、必ず水でぬらし、ふきんでふいてから使う。ぬらして使うとにおいや色がつきにくくなる。

③使ったらそのつど洗う
肉や魚を切ったあとは、まず水で洗い、そのあと洗剤で洗って、湯で流す。いきなり湯をかけると、血やたんぱく質が固まり、汚れやにおいが落ちにくくなる。

＊5

Q:調味料を順番に混ぜるのはなぜ？ 最後にかたくり粉を混ぜるのは？

A:サラダ油やかたくり粉などすべてを一緒に混ぜてしまうと、酒やしょうゆが肉にしみこみにくい。ほぐしながらもみこんでいくことで、味をしみこみやすくする。また、サラダ油を加えることで、いためるときに肉がほぐれやすくなる。最後にかたくり粉をまぶすことで、うま味や水分を逃さず、やわらかく仕上がる。

12

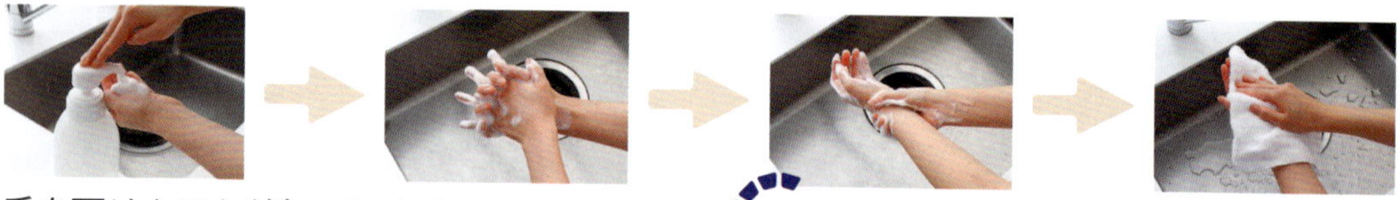

手を石けんでよく洗って、ふく。

肉や魚を扱ったあと、調理を続けるときは必ず手を洗う習慣をつけよう!

▼いためものの最後に入れる調味料は、あらかじめ合わせておくのがコツ。

13

ボールに、酒大さじ1、しょうゆ大さじ½、砂糖小さじ¼、中華スープの素小さじ¼、塩小さじ⅛を合わせておく。*6

ほかの材料も火のそばに用意する。

*6
Q:調味料をあらかじめ合わせておくのは?
A:いためものでは、野菜のシャキシャキ感を残すためにも、強火で手早くいためることが大切。それだけに最後の味つけに手間どってしまうと、だいなしに。合わせておいた調味料を入れてさっと混ぜたら、すぐ火を止めよう。

*7
Q:にんにくとしょうがをいためるときだけ弱火なのは、なぜ?
A:にんにくやしょうがは、「香味野菜」と呼ぶように、香りと風味をつけるためのもの。特にみじん切りは、強火でいためてしまうと、香りが出る前にこげてしまう。弱火でじっくり油に香りを移すようにする。

▼ 火加減に注意して、手早くいためます。

14

深型フライパンに油大さじ½を入れて、温める。

15

油が温まったら肉を入れ、強めの中火でほぐすようにいため、
色が変わったらとり出す。

16

弱火にして、油大さじ1としょうがと
にんにくのみじん切りを入れ、
1分ほどこげないようにいためる。＊7

17

ピーマンとたけのこを加えて強めの中火にし、
1分ほどいためる。

18

肉をもどし入れ、合わせておいた
13の調味料を加えてひと混ぜし、火を止める。

ハンバーグ　卵スープ

2人分／調理時間40分／1人分375kcal　＊卵スープは1人分24kcal

定番のおかずなのに、なかなか上手に作れないのがハンバーグ。
たとえば、表面はこげているのに中は生焼けだった、とか、
焼いている途中でひびが入ってバラバラになってしまった、とか。
ジューシーでおいしいハンバーグを焼くコツ、
ちゃんと、しっかり、マスターしましょう。

＊1
Q:牛ひき肉を使う場合、合びき肉を使う場合、どう違う?

A:基本的には味の好みの問題で、どちらを使ってもよい。脂肪が多く含まれているほど火の通りが悪くなり、くずれやすくなるので、脂身が多すぎないほうがよい。合びきの割合は、牛7:豚3くらいが食感もやわらかく、それぞれのうま味でおいしい。

＊2
Q:パン粉がない!どうする?

A:食パンやフランスパン、焼き麩でも代用できる。

・かたくなったフランスパンや焼き麩《ふ》はおろし金でおろして使えば、むしろ市販のパン粉を使うよりおいしくできる。食パンをそのまま使う場合は、½枚（6枚切りの場合）を、細かくちぎり、分量の牛乳をかけてやわらかくして使う。

＊3
Q:残りのとき卵（½個分）はどうすればよい?

A:添えの卵スープを作ろう。鍋に水カップ1½、スープの素小さじ1を入れて煮立て、そこに余ったとき卵を入れてさい箸でかき混ぜ、火を止める。塩ひとつまみ、こしょうひとふりを加えて混ぜる（2人分）。

＊4
Q:ナツメグって何?

A:独特の甘い香りのある香辛料。肉のくさみをとる効果があり、特にひき肉との相性がよく、混ぜて焼くことで香ばしくなる。ただ、使いすぎると香りが強すぎて逆効果になるので注意。

難易度★★★　選択・判断力↗up　調理技術力↗up　理解力↗up　段どり・応用力↗up　始末力↗up

▼用意する道具

包丁・まな板
…各1つ
（あれば）ペティナイフも1つ

ボール（大）
…1つ

ボール（中）
…1つ

ボール（小）
…1つ

フッ素樹脂加工
のフライパン
…1つ

フライパンのふた
…1つ

樹脂製フライ返し
…1つ

トレー…1つ

竹串…1本

▼用意する材料

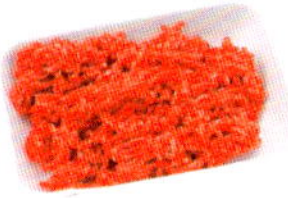

牛ひき肉
…200g

↓代用可

（

＊1
合びき肉
）

たまねぎ
…小½個
（縦半分・80g）

＊2
パン粉
…カップ¼
（10g）

牛乳
…大さじ1½

＊3
とき卵…½個分

＜添え野菜＞

ラディッシュ
…2個

▼用意する調味料や油

バター…10g

塩…小さじ¼

こしょう
…ふたふり

＊4
（あれば）
ナツメグ
…ひとふり

サラダ油
…大さじ½

トマトケチャップ
…大さじ1

中濃ソース
…大さじ1

（あれば）
赤ワイン
…大さじ½

▼下ごしらえ ― たまねぎをみじん切り、いためてさます→ハンバーグ種を作ります。

1

パン粉カップ¼に牛乳大さじ1½を加えて混ぜておく。＊1

2

ここの切りこみを細くするほど細かいみじん切りになる。あともラクチン。

たまねぎ½個は皮をむき、切り口をまな板に下にして置く。
先端を切り、根元は残す。根元を奥にして、根元は残したまま約5㎜間隔の切りこみを入れる。

3

手前にあった部分を右にして向きをかえ、包丁を横にして、
左端を少し残して厚みに1～2か所、切りこみを入れる。

4

しっかり押さえ、切りこみを入れた側から細かく切っていく。
残った部分も細かく切る。

5

大きさが不ぞろいのときは、包丁の先を軽く押さえて固定し、
刃を上下に動かしながら、移動させて切ると、さらに細かくなり、
大きさがそろう（⇒みじん切り）。

＊1
Q:ハンバーグにはなぜパン粉を入れるの？

A:パン粉は、増量剤の役目をすると同時に、焼いたときに焼き縮みを防ぐ。肉汁、たまねぎから出る水分や脂肪を吸収し、うま味を逃さない。また牛乳を加えることで、うま味とやわらかい食感が出る。

＊2
Q:ハンバーグ種の混ぜ方、注意するポイントは？

A:指を広げた手で、均一によく混ぜる。

・ひき肉は赤身と脂身が混ざっている。赤身に脂身をよくゆきわたらせないと、赤身の部分だけがかたくなり、焼いたときにくずれやすくなる。しかし、混ぜすぎると肉がかたくしまってしまい、ジューシーなハンバーグにならない。50～60回混ぜ、ボールのまわりに肉のねばりがうっすらつけばOK。

6

フライパンにバター10gを入れて中火にして、半分に溶けたらたまねぎを入れる。
強めの中火→中火にして、こがさないように3分ほど、しんなりするまでいためる。

7

トレーに広げてさます。

熱いまま混ぜると、肉の一部に火が通ってしまう。

8

ボールに、ひき肉200g、**1**の牛乳を混ぜたパン粉、とき卵½個分、塩小さじ¼、こしょうふたふり、ナツメグひとふり、**7**のたまねぎを入れて手でよく混ぜる。＊2

▼ハンバーグ種を形づくる ― 空気を抜くことが大切です。

9

肉が手につかず、まとめやすい。

2等分して、手に油または水少々（材料外）をつけて肉を丸める。

10

キャッチボールをするように、左右の手のひらを交互に行ったり来たりさせて、2〜3回、空気を抜く。＊3

11

小判形にして、片面の中央をくぼませる。＊4 トレーに静かに置く。

＊3
Q:「空気を抜く」ってどういうこと？　なぜ、そうするの？

A:ひき肉を混ぜるときにとりこまれてしまった空気を、手のひらに軽く打ちつけるようにして抜くこと。そうしないと、焼いたとき、ハンバーグの中の空気が膨張し、空洞を作ったり、焼きくずれたりする原因になる。

＊4
Q:ハンバーグ種の中央をくぼませるのはなぜ？

A:火の通りがもっとも悪い中心部を最初から薄くしておくことで、均等に火が通るようにするため。くぼみがないと、焼いたときに中央が盛り上がって厚みが出てしまい、火の通りが悪くなって生焼けの部分ができる。

▼つけ合わせのラディッシュの飾り切りを覚えましょう。

12

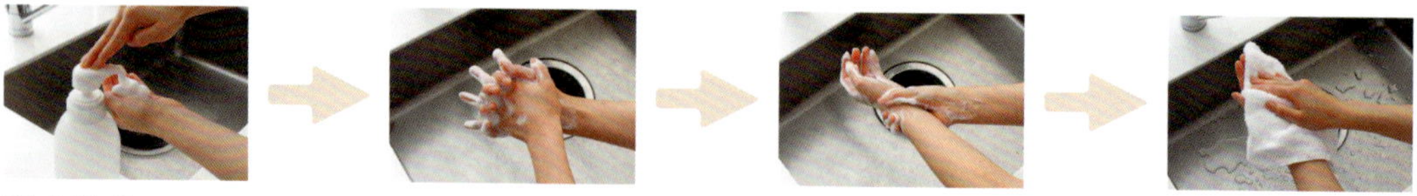

手を洗う。＊5

13

初心者は、ペティナイフのように
小さめの包丁を使うと切りやすい。

ラディッシュ2個は洗って、根元を切る。

横4か所に切り目を入れる。

14

葉の部分がピンとなり、
切り目を入れた部分もきれいに開く

冷水（材料外）につけておく。

＊5

Q:調理を始める前、そして調理中、肉や魚を手で扱ったあと、必ずしたいことは?

A:石けんで手を洗うこと。まな板や包丁を洗うだけでなく、手も必ず洗おう。その際は、指の間や手首のあたりもしっかり洗おう。

＊6

Q:ハンバーグのかんたんソース、ほかには?

A:だいこんおろし＋ぽん酢しょうゆにすると、和風ハンバーグになる。

▼焼く — 火加減に注意して、中まで火を通します。

15

フライパンに油大さじ½を入れ、やや強めの中火で温めて広げ、
ハンバーグを、くぼませたほうを上にして入れる。
30秒焼き、中火にして時々フライパンを軽くゆすって動かし、約2分焼く。

16

焼き色を確認したら、裏返し、1分焼き、
ふたをして弱火にし、4～5分焼く。

17

竹串を刺して、澄んだ汁が出てきたら、中まで火が通った証拠
（赤い汁だとまだ火が通っていないので、さらにふたをして1分焼く）。
火を止めて、皿に盛る。

▼ハンバーグにかけるソースを作ります。＊6

18

ハンバーグを焼いたフライパンに（肉汁が残っているので洗わない）、
トマトケチャップ大さじ1、中濃ソース大さじ1、赤ワイン大さじ½を入れて
ふわーっとひと煮立ちしたら火を止める。

焼きぎょうざ

24個分／調理時間40分／1人分＝6個で247kcal

おかずに、ビールのおともにと、
子どもも大人も大好きなのが、焼きぎょうざ。
自分で作れば、味も栄養も満点、お店のものよりうまいかも？
カリッと上手に焼きあげるコツを教えます。

＊1
Q：キャベツではなくはくさいの葉を使う場合は？

A：同じ重量のはくさいを熱湯で20〜30秒ゆでて、ざるにとり、さましてからみじん切りにして、水気をしぼる。かさが減って包みやすくなる。

＊2
Q：ねぎ5㎝。「手ばかり」を使うとどこでどうはかればよい？

A：手の中の3本指の幅の長さが4〜5㎝。これをめやすに切ろう。

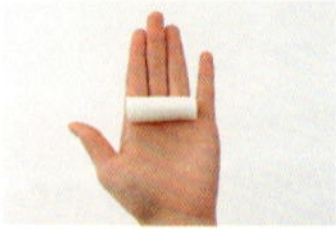

＊3
Q：にんにく½片、しょうが小1かけってどのくらい？

A：にんにく½片は、1片10gの半分で小さい1片とほぼ同じ重さ（ただし、最近は1片自体が小さめで5〜6gのものも多い）。しょうが1かけは写真のように親指大。それの半分くらいが小1かけ。どちらも約5gになる。

＊4
Q：カップ½強とは？

A：カップ½の目盛りよりやや多め。ぎょうざを焼くときに調整する。

難易度★★★　選択・判断力↗up　調理技術力↗up　理解力↗up　段どり力↗up　始末力↗up

▼用意する道具

包丁・まな板
…各1つ

ざる…1つ

ボール（大・小）
…各1つ

調理トレー大
…3つ

テーブルナイフ…1つ

さい箸…1膳

樹脂製フライ返し
…1つ

フッ素樹脂加工
のフライパンとふた
…各1つ

おろし金（小）
…1つ

ペーパータオル

▼用意する材料

豚ひき肉
…150g

×2
＊1
キャベツ…2枚
（150g）

にら…4～5本
（40g）

＊2
ねぎ…5cm
（10g）

＊3
にんにく…½片
（5g）

＊3
しょうが…小1かけ
（5g）

ぎょうざの皮
…1袋（24枚）

＊大判タイプなら1袋20枚くらいで売られている。その場合は9でぎょうざの具を20等分する。（⇒P.163）

▼用意する調味料や油

キャベツにふる
塩…小さじ⅓

酒…大さじ1

しょうゆ
…大さじ½

塩…小さじ¼

ごま油
…小さじ2

こしょう
…ひとふり

＊4
熱湯
…カップ½強

（仕上げの）
ごま油…大さじ1

▼具を作る ― 野菜は細かく切り、にんにくとしょうがはすりおろします。

1

野菜はすべて洗って水気をきる。

2

キャベツ２枚を丸めて端から細く切り（⇒せん切り）、
さらにまとめて端から細かく切る。（⇒みじん切り）

塩小さじ1/3をふって、手でもむように混ぜ、５分ほどおく。＊1

3

にら５本はかたい根元を少し切り落とし、重ねて端から細かく切る。

4

ねぎ5㎝は端を残して縦に2〜3㎜間隔で切りこみを入れ、
切りこみを入れたほうから、細かく切る。残った端も細かく切る。（⇒みじん切り）

＊1

Q:キャベツに塩をふっておくのはなぜ？

A:キャベツの水分を外に出すため。

・具になる野菜の水気が多いと、ぎょうざの皮が破れる原因になる。そこで、塩をふることで、野菜の水気を外に出し、しんなりさせ、塩味もつける。

＊2

Q:にんにくしぼりって何？

A:にんにく１片を丸ごと（大きければ切って）入れてレバーを握ると、穴からにんにくのみじん切りが出てくるすぐれもの。あると時短になる。

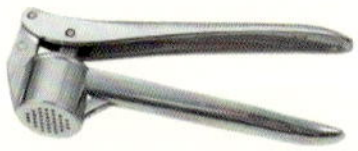

5

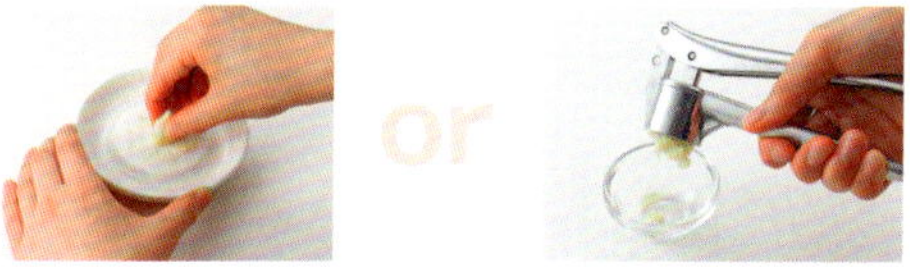

にんにく½片はすりおろすか、にんにくしぼりでしぼる。＊2

6

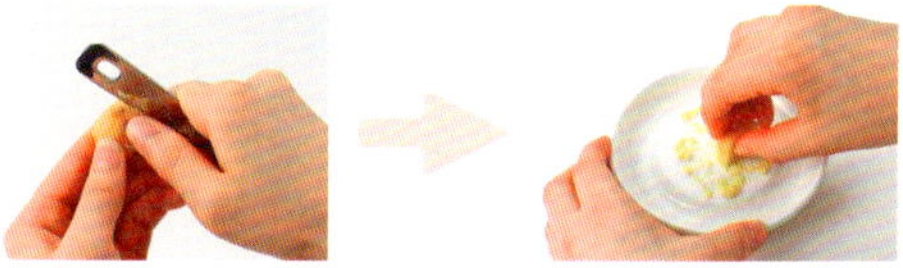

しょうが小1かけは計量スプーンの柄で皮をこそげてから、すりおろす。＊3

7

しんなりしたキャベツをペーパータオルに包んで、水気をしぼる。

▼具を作る ― 野菜、肉、調味料を合わせてよく混ぜて、24等分にします。

8

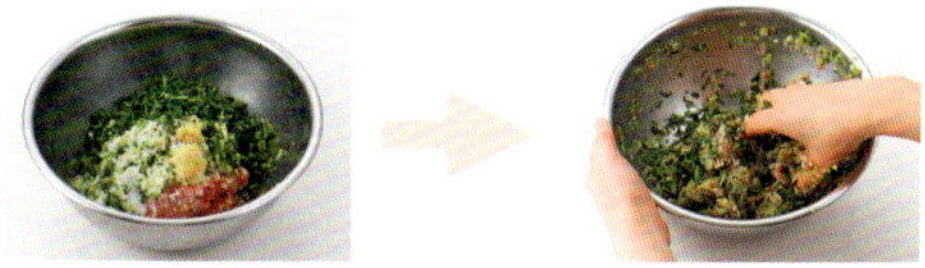

ボールに、ひき肉150gと野菜、5、6のにんにくとしょうが、酒大さじ1、しょうゆ大さじ½、塩小さじ¼、ごま油小さじ2、こしょうひとふりを入れて手でなめらかになるまで、20回くらい混ぜる。

9

少しめんどうだが、こうすれば、
ぎょうざの皮と具の数がぴったり合って合理的！

トレーに移して平らにし、24等分する。

＊3
Q:しょうがの皮はしっかりむかなくてよいの？

A:しょうがの香りは、皮のすぐ下が強いので、皮はこそげる程度にするのが正解。しょうが汁だけとるときは、皮をつけたまますりおろす（⇒P.74豚のしょうが焼き）

▼ 手をよく洗ってふき、皮で具を包みます。

10

ぎょうざの皮を袋から出し、小さいボールに
水（ぎょうざの皮ののりづけ用）を用意。

11

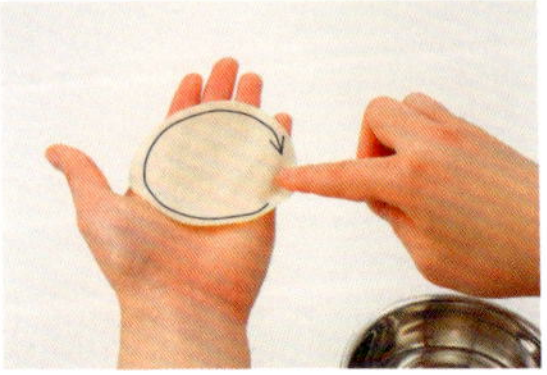

ぎょうざの皮を手のひらにのせ、
縁ひとまわりに指で水をつける。

包む間、ほかのぎょうざの皮には、
乾燥しないようにペーパータオルか
ふきんをかけておくとgood!

12

具を中央にのせ、手前の皮に、親指とひとさし指で
ひだを均等にとりながら、とじ合わせる。

13

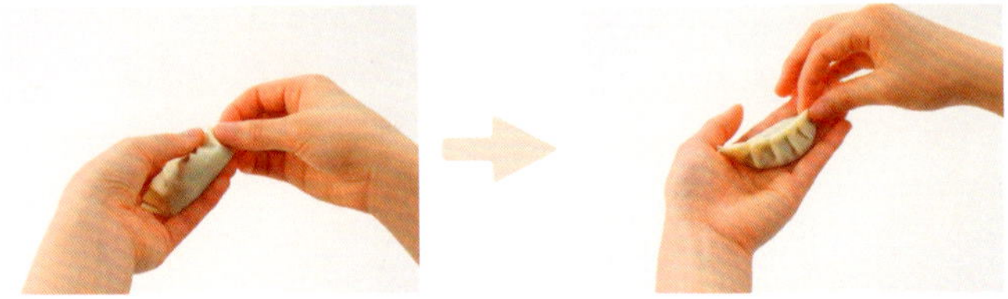

ひだをしっかり指で押さえながら、カーブをつけて三日月形に整える。
底を手のひらに軽く押しつけ、安定させる。トレーや大皿（道具外）に、
ぎょうざ同士がくっつかないように置く。

▼包んだら、すぐに焼きます。＊4　※ここでは半量（12個）ずつを焼きます。＊5

14

フッ素樹脂加工のフライパンにぎょうざの半量を並べ、ぎょうざの高さの½くらいまで熱湯をそそぐ。（油なしでOK。）

15

ふたをして、すぐに強めの中火にかけ、約４分、蒸し焼きにする。

16

水分がほとんどなくなったら、ふたをあけ、さらに水分をとばす。

17

ごま油大さじ½を回しかける。

18

すぐにフライパンをゆすってぎょうざを動かす。

19

１個裏返して、茶色の焼き色がついていたら、火を止める。焼き面を上にして盛りつけると、きれい。残り半量も同じように焼く。

＊4

Q：なぜ、すぐ焼くの？　またすぐ食べない（焼かない）ぎょうざは？

A：冷凍保存する。

・包んだぎょうざは長くおくと皮が湿って、破れやすくなるので、すぐに焼く。が、焼く前の状態で冷凍保存することができる。金属製のトレーに、ぎょうざ同士がくっつかないよう間隔をあけて並べ、ラップをして冷凍庫へ。凍ったらフリージングバッグなどに移す。

・焼くときは凍ったまま、最初に蒸し焼きにする時間を2分ほど長めにする。1週間以内に焼いて食べてしまうようにしよう。

＊5

Q：24個、一度に焼きたい場合は？

A：全量を花びらのように並べて焼く。焼き時間は同じ。

・また、ホットプレートで焼いてもきれいに焼ける。

とりのから揚げ

2人分／調理時間30分／1人分279kcal

料理初心者にもっとも敷居が高いのが、揚げもの。
衣のつけ方は?　油の量は?　中まで火が通った?
でも、コツさえ習得すれば、揚げものは単純で失敗しない料理。
ビールの肴にもうれしい、とりのから揚げにチャレンジ!

*揚げもののコツについては、P.212～214も参考に。

*1

Q:ポリ袋がないときは?

A:ここでは、小麦粉を肉にまぶすときに使うポリ袋。なければ、粉をまぶすための大きめのボールかトレーを用意すればOK。

*2

Q:揚げ網と揚げバットがないときは?

A:皿あるいは平らなざるなどにペーパータオルなどを敷いたものを用意する。またはグリルを引き出して使ってもよい(あと始末を忘れずに!)。要は、揚げたあとにしっかり油をきることが大切。

・また、網じゃくしがあると、揚げものをとり出すのに便利で、揚げカスもとれる。もし、ないときは、アクとりや、さい箸を使ってとり出す。

*3

Q:揚げ油の適量ってどれだけ?

A:揚げもの用の鍋の深さ3cmくらいまでの量。

・底が平らな直径24cmの鍋なら、約800mℓ。

 難易度★★★　選択・判断力↗up　調理技術力↗up　理解力↗up　段どり・応用力↗up　始末力↗up

▼用意する道具

包丁・まな板
… 各1つ

ボールとざる
… 各1つ

おろし金（小）
… 1つ

＊1
ポリ袋 … 1枚

揚げもの用鍋
… 1つ

さい箸 … 1膳

＊2
揚げバット・
揚げ網 … 各1つ

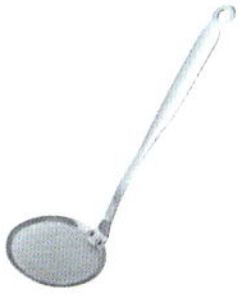
網じゃくし … 1つ

ペーパータオル

竹串 … 1本

▼用意する材料

とりもも肉
（から揚げ用）
… 200g

しょうが
… 1かけ（10g）

レモン … $\frac{1}{4}$個

サラダ菜
… 4〜6枚

小麦粉 …
大さじ$1\frac{1}{2}$〜2

▼用意する調味料や油

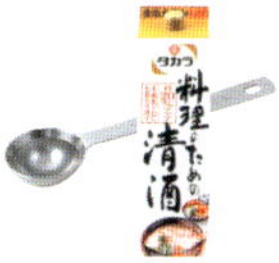
酒 … 大さじ$\frac{1}{2}$

塩 … 小さじ$\frac{1}{6}$

こしょう
… ひとふり

＊3
揚げ油
（サラダ油）
… 適量

▼ とり肉に下味をつけて、15分おきます。

1

しょうが1かけ（10g）は、皮をつけたままおろして汁をとる。ちょうど小さじ1の汁がとれればOK。＊1

2

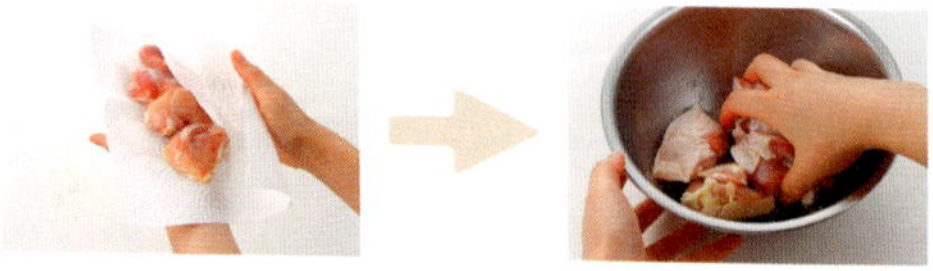

とり肉200gの水気をペーパータオルでふき、酒大さじ½、**1**のしょうが汁小さじ1、塩小さじ⅙、こしょうひとふりをもみこみ、15分おく（⇒下味）。

▼ 添えの野菜、揚げ油を用意して、肉に粉をまぶします。

3

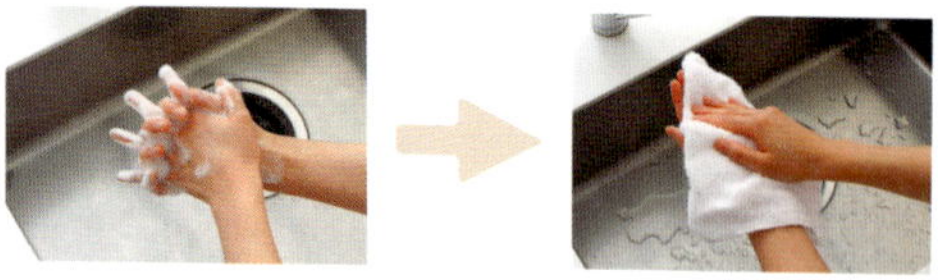

手を石けんでよく洗って、ふく。

4

サラダ菜4～6枚は洗って水気をきる。

5

揚げもの用鍋に油＊2を3㎝深さまで入れる。

6

揚げバットに、ペーパータオルなどを敷いておくとよい。

7

ポリ袋に、小麦粉大さじ1½～2＊3を入れる。

＊1

Q:しょうがの皮をつけたまま使う、皮をむいて（こそげて）使う、どう判断するの？

A:しょうがの汁を使うときは、皮をつけたまま。そのほかは、計量スプーンの柄で皮をこそげる（皮の部分が香りが強いので）。

＊2

Q:揚げものに使うのに適した油ってありますか？

A:使う量が多いので、値段が手ごろでクセのないサラダ油を使うのが一般的。

＊3

Q:から揚げの粉は、小麦粉を使っているもの、かたくり粉を使っているもの、両方使っているものなどいろいろありますが、仕上がりは違うの？

A:小麦粉で作ると、ジューシーできつね色にカリッと揚がる。かたくり粉で作ると、衣がサクサクした食感になる。

・両方のよさを生かして、合わせて使うこともある。その場合は、小麦粉とかたくり粉を半分ずつで合わせると失敗なく、カラリと揚がる。

8

2のとり肉の汁気をふいて、ポリ袋に入れてふり、粉が均一にまんべんなくつくようにする。

▼170℃に油を熱する⇒肉を揚げます。

9

イラストで見ると、

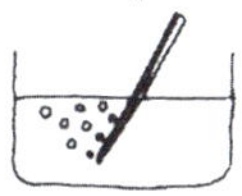

鍋を強火にかけ、油が温まってきたら、さい箸を水でぬらしてからふき、油の中に入れる。箸全体から泡がフワフワと出る状態（170℃）になったら、肉を余分な粉をはたいてから入れる。

10

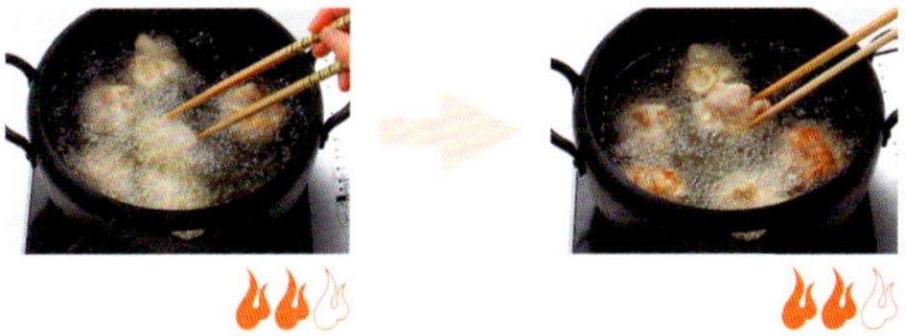

肉が浮いてきたら、火を弱め、箸で1〜2回ひっくり返す。

11

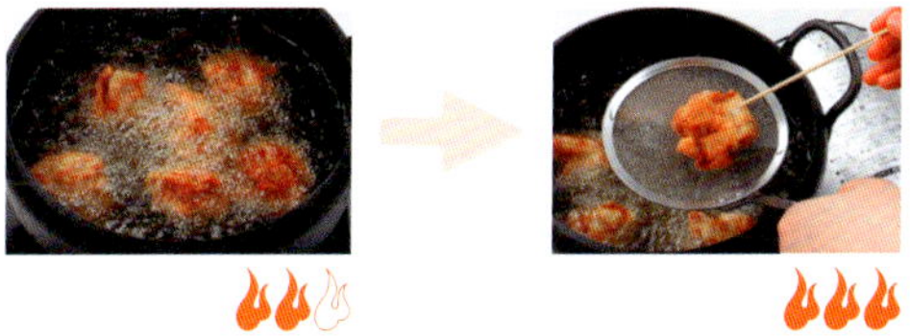

こんがりと色がつき、泡が小さく細かくなったら、強火にして10〜20秒。チリチリと小さな音になったら揚げ終わり。時間にしてトータルで5〜6分。網じゃくしで1個とり出し、竹串を刺してみて、抵抗なくスーッと串が通ればよい。なかなか串が通らなければまだ生なのでもう少し揚げる。

12

網じゃくしでとり出し、油をきる。＊4

＊4

Q:残った揚げ油、どうすればよい？

A:揚げものをしたあと、鍋の底に残った揚げかすをそのままにしておくと油が劣化する。油こし器にこし紙（ペーパータオルでOK）をセットし、油が温かいうちに油こしを通して、かすは捨てること。空気にふれても劣化を早めるので、ふたをして、冷暗所に保存する。

・保存する際、コンロの下、配水管の近くは温度が上がるので、避ける。

Q:揚げ油は何回使えますか？　また捨てるときはどのようにしたらよい？

A:きれいにこして、きちんと保存しておけば、2〜3回は揚げものに使える（適量にたりないときは新しい油をつぎたす）。また、残った油はいためものに使って、すべて使いきるようにしたい。

□油の色が濃くなった
□ねばりが出てきた
□加熱時、いやなにおいがする
□揚げたものをとり出したあとも泡が消えにくい
□180℃くらいで煙が出る

などになった油は劣化した証拠（油が「疲れた」という）。牛乳の空きパックに新聞紙などを入れて油をそそぎ、吸わせてから捨てる。絶対に流しに捨てない!!（⇒P.214参照）

とんカツ

2人分／調理時間 40分／1人分 554 kcal　ヒレ肉で作ると1人分406kcal

衣はさっくり、中はジューシー。
とんカツが上手に揚がれば、料理力はかなりのもの。
おいしく作るコツは、衣をしっかりつけること、
油に入れてからむやみにさわらないこと。
せん切りのキャベツとにんじんをたっぷりと添えます。

＊1
Q：肉たたきって何？

A：肉は軽くたたくことでやわらかくなり、肉の厚さをそろえることができ、火の通りも均一になる。すりこぎや空きびん、ラップの芯などでたたいてもよいのだが、専用の道具を1つ持っておくと便利。

＊2
Q：残り½個分のとき卵はどうする？

A：フッ素樹脂加工のフライパンに流し入れて、さい箸でかき混ぜて、いり卵にしては？　それをごはんに混ぜても。あるいは卵スープに（⇒P.154＊3）

＊3
Q：揚げ油の適量ってどれだけ？

A：揚げもの用の鍋の深さ3㎝くらいまでの量。

・肉が2枚らくらく入る24㎝前後口径の鍋なら量にして800mℓの油。

難易度★★★　選択・判断力／up　調理技術力／up　理解力／up　段どり・応用力／up　始末力／up

▼用意する道具

包丁・まな板
…各1つ

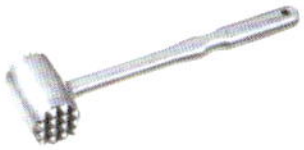

＊1
肉たたき…1つ

×4

トレー…4つ

揚げもの用鍋
…1つ

さい箸…1膳

揚げバット・
揚げ網…各1つ

（あれば）
網じゃくし…1つ

皮むき器…1つ

ボールとざる
…各1つ

▼用意する材料

とんカツ用
豚ロース肉
…2枚（200g）

↓代用可

（豚ヒレ肉
…200g）

小麦粉
…大さじ1

＊2
とき卵…½個分
＋
水…大さじ1

パン粉
…カップ½
（20g）

＜添え野菜＞

キャベツ
…2〜3枚
（150g）

にんじん
…1本

※皮むき器でけずって使う。
実際に使う量は約30g

▼用意する調味料や油

塩…小さじ⅙

こしょう
…ふたふり

＊3
揚げ油
（サラダ油）
…適量

ウスターでも
中濃でも
好みのソース

（好みで）
練りがらし

▼筋切り⇒たたく⇒塩、こしょうをふります。

1

揚げたときに、縮んでそり返るのを防ぐため。

赤身と脂肪との境に白く走っている筋に
直角に包丁の先を入れて、数か所切る（⇒筋切り）。

2

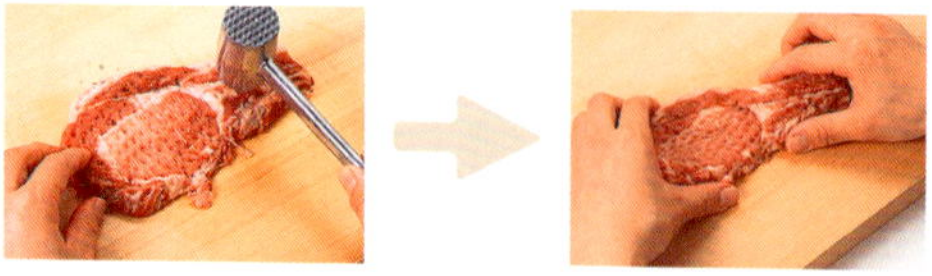

肉たたきで外側にのばすように軽くたたき、
1㎝くらいの厚さになるように整える。＊1

3

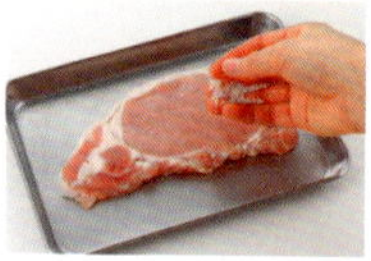

両面に塩とこしょう（肉2枚で塩小さじ1/6、
こしょうふたふり。合わせておいて、半分ずつ
ふるとよい）をふる。

【豚ヒレ肉200gを使う場合は…＊2】

1

筋はないので、筋切りは必要なし。
約1.5㎝厚さに切る。

2

切り口を上にして、肉たたきで、厚みが均一に
薄くなるように軽くたたき、形を整える。

3 塩、こしょうを全体にまぶす。

4 以下の作り方は、ロース肉と同じ。

＊1
Q:肉をたたくときの注意点は？

A:脂肪の部分は水分が少なく熱の伝わり方が悪いので、赤身の部分より幾分薄くなるようにたたくとよい。また、ロース肉やヒレ肉はやわらかいので、肉たたきの凹凸の細かい面を使って、軽くたたく。

＊2
Q:ロースをヒレにかえると、カロリーは？

A:ここのレシピで、ロースで作った場合554kcal。ヒレで作った場合は、406kcalと、約150kcalもダウン。カロリーを気にする方は、ヒレ肉で作るとよい。

▼ 粉をまぶす⇒卵水をつける⇒パン粉をまぶします。＊3

4

トレーに、小麦粉大さじ1、卵水（とき卵½個分＋水大さじ1）＊4、パン粉カップ½を用意する。

5

肉の両面にしっかりと小麦粉をまぶし、手ではたいて余分な粉を落とす。

6

卵水に入れてムラなく両面につけ、
余分な卵水をきる。

7

パン粉のトレーに移し、押しつけるようにして
まんべんなくつける。手で軽く押さえて落ちつかせる。

＊3
Q:衣をつけているときに、卵水とパン粉がたりなくなりました。たしてよい？

A:あくまで材料はめやす量。肉の大きさなどでたりなくなったり余ったりすることも。そのときは適宜たすこと。

・料理は臨機応変に対処する力も重要。

＊4
Q:とき卵に水を加えるのはなぜ？

A:水を加えることで、肉に薄く均等につく。また、パン粉もはがれにくくなる。

▼まな板と包丁を洗剤で洗い、つけ合わせの野菜を作ります。

8

キャベツ150gはかたい
芯の部分は切りとる。＊5

9

半分に切って、重ねて丸め、手で押さえて、端から細く切る。（⇒せん切り）

10

にんじんは、皮むき器でできるだけ薄くけずる（4〜5枚）。
長さを半分に切り、重ねて端から細く切る。この方法だと、薄くてきれいなせん切りができる。

11

キャベツとにんじんを一緒にして
冷たい水に約1分つけ、パリッとさせる。＊6

ざるにあけ、水気をきる。

＊5
Q:キャベツの芯は食べられる?

A:食べられる。薄く切れば、いためもの、煮もの、サラダなどふつうに使える。

・ここでも、薄切りにしたあと、重ねて端から1㎜幅に切って、葉のせん切りに混ぜよう。

＊6
Q:野菜を冷水につけると、なぜパリッとなるの?

A:浸透圧によって野菜の細胞膜に水が浸入してきて、野菜がピンと張った状態になるから。

▼170℃に油を熱する⇒肉を揚げます。

12

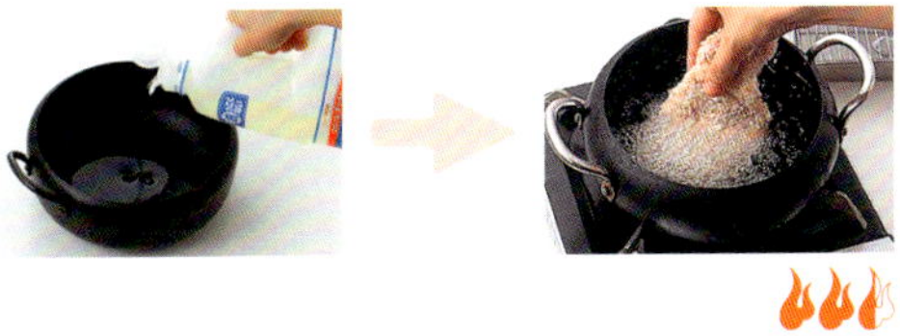

鍋に油を3㎝深さまで入れ、強めの中火にかけ、
170℃に熱し、肉を1枚ずつ静かに入れる
（2枚入らない口径の狭い鍋の場合は、
1枚ずつ揚げること）。＊7

13

1～2分そのまま揚げて（←それまではさわらない！）、
下側がきつね色になったら裏返す。さらに4分ほどして
全体がきつね色になったカツが浮いて、箸でさわってみて軽く、
感触がカリッとなり、周囲についた泡が小さくなるまで揚げる。＊8

14

引き上げて揚げ網（バット）に
立てかけるように置いて、油をきる。＊9

▼肉は箸で食べられるように切ります。

15

肉は、食べやすいように切って、野菜と一緒に
盛る。練りがらしとソースを添える。

＊7
Q:油の温度の見分け方、見極め方を教えて。

A:油の温度を知らせる賢いガスレンジやIHも出ているが、そうでない場合もさい箸があれば大丈夫。さい箸をぬらしてから水気をふきとり、熱した油に入れてみる。

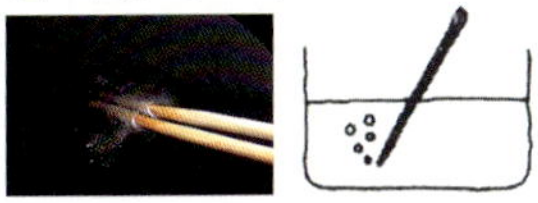

箸の先から泡がチョロチョロと出る。⇒油温は150℃

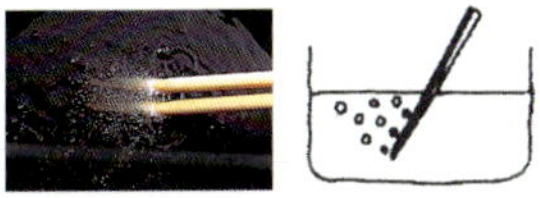

箸全体から泡がフワフワと出る。⇒油温は160～170℃（とんカツはこの状態で揚げよう）

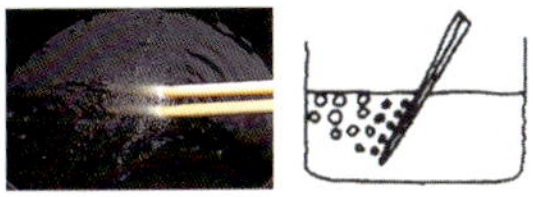

箸全体から泡がワーッと出る。⇒油温は180℃

＊8
Q:焼き色以外に、中まで火が通ったかどうかのめやすは？

A:泡と音で判断する。最初は泡も音も材料の水分で盛大に出る。が、徐々に泡も音も小さくなる。ピチピチと乾いた音がしたら、中まで火が通った証拠。また、肉に竹串を刺して、抜いたあとに赤い汁が出てこなければ火が通っている。

＊9
Q:揚げたあと、油のきり方で注意することは？

A:カラリと揚がった揚げものも、油のきり方を間違うとしなっとなってしまう。油をよくきるためには、立てかけるようにするのがポイント。

えびフライ タルタルソースかけ

2人分／調理時間50分／1人分229kcal（タルタルソースを除く）
＊タルタルソースは全量で424kcal

さくっとした衣の中からぷりぷりのえび。
えびの下ごしらえをちゃんとして、手順を間違わなければ、
びっくりするほどおいしく、きれいに作れます。
さけのムニエル（P.100）にかけてもおいしい、タルタル
ソースの作り方も覚えましょう。

＊1
Q:おいしいえびの見分け方は?

A:頭があるものは、頭がしっかりついているもの、目がいきいきと黒いものを選ぶ。頭や尾が黒いものは古くなっているので避ける（ただし、「甘えび」は成熟すると頭が黒くなる）。無頭のものは、足が黒くなっていないもの、身がすき通っているものが新鮮。

・冷凍ものは霜がついていないもの、解凍したえびはドリップの出ていないものを選ぶ。

＊2
Q:残り½個分のとき卵はどうする?

A:よくといて、フッ素樹脂加工のフライパンに流し入れて薄焼き卵にしては?　そうすれば、ラップで包んで冷凍しておくことができる。あるいは、卵スープにしても（⇒P.154＊3）。

＊3
Q:揚げ油の適量ってどれだけ?

A:揚げもの用の鍋の深さ3㎝くらいまでの量。

・広めの口径の鍋なら量にして約800mℓの油。

難易度★★★　選択・判断力↗up　調理技術力↗up　理解力↗up　段どり・応用力↗up

▼用意する道具

包丁・まな板
…各1つ

キッチンばさみ
…1つ

竹串…1本

大きめのボール
…1つ

×3
トレー…3つ

揚げもの用鍋
…1つ

さい箸…1膳

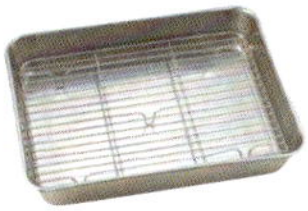
揚げバット・
揚げ網…各1つ（下に紙を敷くとよい）

ざる…1つ

▼用意する材料

＊1
えび
（ブラックタイガー・無頭）
…6尾（120g）

小麦粉
…大さじ1

＊2
とき卵…1/2個分

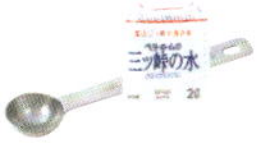
水…小さじ1

パン粉
…カップ1/2
（20g）

サラダ菜
…4〜6枚

レモン…1/4個

▼用意する調味料や油

塩…小さじ1/8

こしょう
…ふたふり

＊3
揚げ油
（サラダ油）
…適量

▼タルタルソースの材料と道具

＊1
卵…1個

（料理を始める5〜10分前には冷蔵庫から出しておく）

たまねぎ…20g

パセリ…½枝

マヨネーズ
…50g

レモン汁
…小さじ½

牛乳…小さじ½

包丁・まな板
…各1つ

さい箸…1膳

キッチンばさみ
…1つ

小さめの鍋
…1つ

大きめのボール
…1つ

茶こし…1つ

ペーパータオル

コップ…1つ

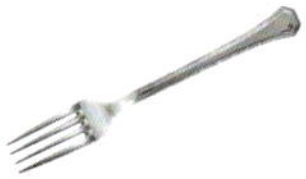

フォーク…1つ

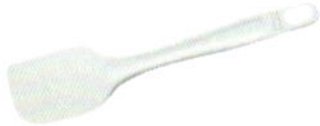

（あれば）
ゴムべら…1つ

＊1
Q:料理にとりかかる前に、卵を冷蔵庫から出しておくのはなぜ？

A:冷蔵庫から出して冷たいまま料理すると火の通りが遅くなるため。特に、ここではゆで卵にするため、冷たいままゆでると殻にひびが入って、中身が出てしまう危険がある。ゆでる水に早くから入れておいてもよい。

＊2
Q:半熟卵にするときは、何分ゆでる？

A:沸とう後、火を弱めて（沸とうが続く程度に）、3〜6分ゆでると半熟に。

火を弱めて3分半

火を弱めて5分半

・なお、省エネルギーでかたゆで卵を作るには、沸とう後、火を弱めて3分ゆで、火を止めてふたをし、そのまま10分余熱で火を通す。

＊3
Q:卵の殻を水の中でむくのは？コップに入れてゆで卵をつぶすのはなぜ？

A:卵がとても新しかったり、ゆでたあとの冷やし方がたりないと、殻がむきにくい。水の中でむくことで、きれいに殻がむけるため。また、口径の広いボールではなく、口径の狭いコップに入れてフォークでつぶすことで、卵が動かずにつぶしやすい。

▼まず、タルタルソースを作りましょう。

1 

鍋に卵1個と卵がかくれるくらいの水を入れて強火にかけ、沸とうするまで、卵を箸で静かにころがす。

こうすることで、黄身がまん中になる。が、タルタルソースの場合は、卵をつぶすので、あえて箸でころがさなくてもOK。その間、他の作業をしておこう。

2 

沸とうしたら（沸とうが続く程度に）火を弱め、約12分ゆでる。＊2
あるいは、火を弱めて3分ゆで、火を止めてふたをし、そのまま10分おく。
水にとって冷やす。

3 

たまねぎ20gは根元を切り落としてばらばらにした1片を手で押さえるようにしてせん切りにし、まとめて端から切って、みじん切りにする。茶こしに入れ、パセリ½枝の葉をはさみで切り、加える。

4 

たまねぎの辛味を抜く。水にさらすよりかんたん！

茶こしごとたまねぎとパセリのみじん切りに流水をかけ、ペーパータオルに包んで、水気をしっかりとる。

5 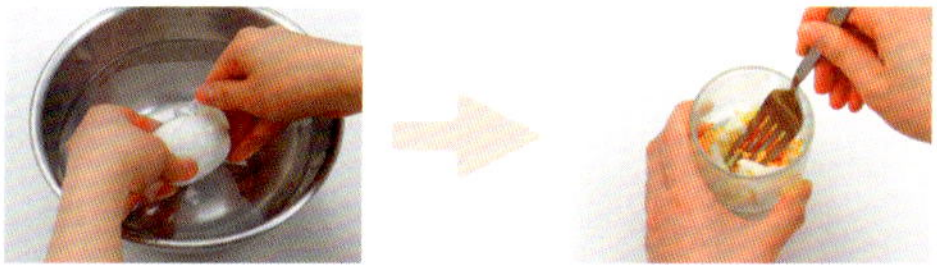

ゆで卵は、全体に軽くひびを入れ、水をはったボールの中で殻をむき、コップに入れて、フォークでつぶす。＊3

6 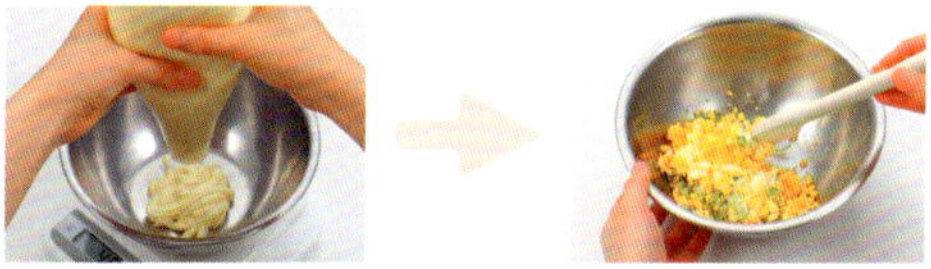

マヨネーズ50gをはかり、5のゆで卵、4のたまねぎとパセリ、レモン汁（レモンを半分に切ってしぼるか、市販のレモン汁）小さじ½と牛乳小さじ½を入れてよく混ぜる。

＊1
**Q:えびの背わたって何？
とらないとだめなもの？**

A:背わたは、えびの背にある黒い筋で、腸にあたる。食べるとくさみがあり、食感もよくない。また、できあがりの見た目もよくないので、できるだけとりたい。

・背わたが透明な場合もあるが、これも同じように除く。

＊2
**Q:尾に近いひと節を残して
殻をむくのはどうして？**

A:尾に近いひと節を残しておくことで、形がくずれず、見た目がきれいに仕上がるため。

＊3
**Q:剣先ってどこ？
なぜ切りとるの？**

A:尾の間にあるとがった部分が剣先。口にさわると痛いので、切り落とす。キッチンばさみを使おう。

▼ えび6尾は殻つきのまま洗って、むき、背わた＊1をとります。

1

殻がついたまま、流水か、水をかえながら洗う。

殻をとって洗うと、うま味が出てしまうし、いたみやすくなる。

2

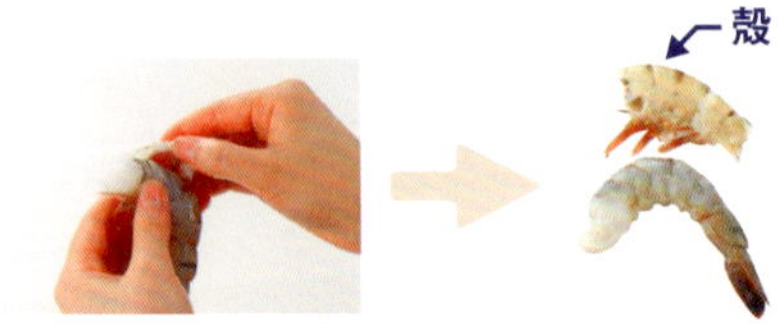

尾に近いひと節を残して＊2、足のほうから胴にそってぐるりと殻をむく。

3

えびの背を丸め、頭から2〜3節目のところに竹串を刺し、背わた（黒い筋。透明な場合もある）をすくって、ゆっくりと引き抜く。
竹串を水ですすぎながらとっていくとよい。

▼ 尾の中の水気を出す、腹に切り目を入れるのがコツ！

4

尾の先と剣先＊3をキッチンばさみで切る。
包丁の先を使って尾の中の水気をしごきだす。

水分が残っていると、揚げるとき、油がはねて危ないため。

5

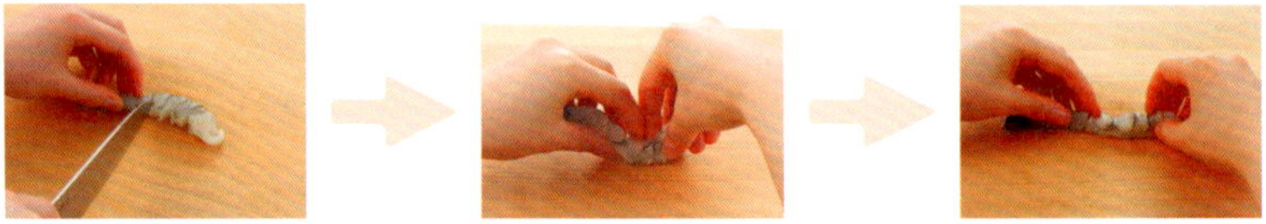

えびの腹側の2〜3か所に、浅く切り目を入れ、切り目を押し開くようにしてそらせ、えびを伸ばす。形をまっすぐに整える。こうすると揚げたときに曲がらない。

6

えびをトレーに置き、塩小さじ$\frac{1}{8}$、こしょうふたふりをふる。

▼ 衣をつけて、油で揚げます。

7

とき卵½個分に水小さじ1を加えて混ぜる＊4。
トレーに小麦粉大さじ1、パン粉カップ½を用意して、卵水の器をはさみ、つける順に並べる。

8

えびの尾を持ち、小麦粉→卵水→パン粉の順に、
まんべんなく衣をつけ（ただし、尾には衣をつけない）、手で形を整える。

9

鍋に揚げ油を約3cmの深さまで入れて、
高温（180℃）に熱し＊5、
えびの尾を持ち、静かに入れる。

10

薄く色づいたら
上下を返して、合計で約2分、
薄茶色になるまで揚げる。

11

揚げ網（バット）に
立てかけるように置き、
余分な油をきる。

▼ 添えのサラダ菜とレモンを用意します。

12

サラダ菜は洗って
水気をしっかりきる。
レモン¼個は、半分に切る。

＊4
Q:とき卵に水を加えるのはどうしてですか?
A:水を加えることで、衣がつけやすくなるから。

＊5
Q:揚げ油が、高温（180℃）になったのを知るには?
A:一度水でぬらしてから水気をふいたさい箸を油に入れ、箸全体から泡がワーッと勢いよく出るくらいがめやす。
（⇒P.175の＊7参照）

ホットプレートパエリア

4～6人分／下ごしらえ 30分 卓上調理 30分／1人分 390～584 kcal

ここまでくれば、料理力はかなりのものです。
友人や家族に、スペイン料理のパエリアをごちそうしましょう。
下ごしらえをしたら、あとはホットプレートで。
作る過程もパフォーマンスになり、歓声があがるはず。

＊1
Q:ホットプレートのサイズは？ フライパンで作る場合は？

A:4～6人分作れて、深さのあるもの。ここで使ったものは、直径約34cm、容量約1.2ℓ。フライパンで作るなら、直径24cmくらいのフッ素樹脂加工のフライパン（浅型のほうがよい）を使い、材料と調味料は、右記の$\frac{1}{2}$量をめやすに使う。作り方は同じで、ホットプレート部分がフライパンにかわるだけ（設定温度180℃⇒強火、160℃⇒中火、140℃⇒弱火）。これで、約2人分ができる。

＊2
Q:無洗米って何？

A:製造段階で、米の表面のぬかを除くことで、洗わなくてもおいしく食べられる米。洗わずにそのまま使ってもぬかくさくなく、やや芯が残るくらいの本格的なおいしいパエリアができる。

・ふつうの米を使う場合は、洗ったらざるに広げてよく乾かすこと。そうでないと、できあがりが水っぽくなる。ぬかが気にならなければ、ふつうの米を洗わずに使ってもよい。

＊3
Q:有頭えびの選び方は？

A:ここでは、頭があるほうがうま味が出て、豪華に見えるので、新鮮でやや大きめのえびを選びたい。種類はブラックタイガーがポピュラーだが、特にこだわらなくてもOK。頭がしっかりついていて、身がすき通って目がいきいきと黒いものを選ぶ。頭が黒いものは古くなっているので避ける。

難易度★★★ 選択・判断力↗up 調理技術力↗up 理解力↗up 段どり・応用力↗up

▼用意する道具

包丁・まな板
… 各1つ

キッチンばさみ
… 1つ

竹串 … 1本

ボール … 3つ

ざる … 1つ

皿 … 1つ

トレー … 2つ

穴あき木べら
… 1つ

小さめの鍋
… 1つ

＊1
ホットプレート

樹脂製フライ返し
… 1つ

ペーパータオル

▼用意する材料

×3
＊2
無洗米
… 米用カップ3

＊3
有頭えび … 6尾

するめいか
… 1ぱい
（約300g）

あさり
（砂抜きずみ
⇒砂抜きの方法はP.44）
… 18個

ピーマン … 3個

たまねぎ
… 150g

にんにく … 1片
（10g）

トマト水煮缶詰
… 1缶（400g）

レモン … 1個

▼ 用意する調味料や油 ＊1

＜トマトと合わせる調味料＞

固形スープの素
… 1個

塩 … 小さじ½

こしょう
… ひとふり

＜えび、いか、ピーマンに使う調味料＞

白ワイン
… 大さじ2

塩 … 小さじ¼

こしょう
… ふたふり

オリーブ油
… 大さじ2

【1人分の盛りつけ】

＊1
Q:パエリアというと「サフラン」を入れるのだと思っていましたが…?

A:サフランは、独特の香りをもち、水に溶けると鮮やかな黄色になる香辛料。ブイヤベースやサフランライスに使うほか、パエリアにも使うとよりグレードアップする。が、少量で高価な材料なので、あえて使わなくてもよいし、なくても充分おいしいパエリアができあがるのでご安心を!

・使う場合は小さじ½のサフランを水カップ1につけておき、**8**でトマトの缶汁と合わせる水をこのサフラン水にすればよい。

▼ 材料の下ごしらえ① 野菜は洗ってそれぞれ切ります。

※あさりの砂抜きがまだなら、まず、砂抜きをしておくのを忘れずに！（P.44参照）

1

ピーマン3個はへたを切り落とし、1cm幅の輪切りにして、わたと種をとり除く。

2

たまねぎ150gは皮をむき、先端を切り、根元は残す。根元を奥にして
根元を残したまま細く切りこみを入れる。

3

手前にあったほうを右にして向きをかえ、
包丁を横にして、根元のほうを少し残して厚みに2か所、
切りこみを入れる。

4

しっかり押さえ、切りこみを入れた側から細かく切っていく。全体が切れたら包丁の先のほうのミネ（背）を軽く押さえて、刃元を上下に動かしながら移動させて、さらに細かく切る（⇒みじん切り）。

5

包丁の腹でつぶす場合

にんにく1片は根元を切って、皮をむく。木べらでつぶし、芽をとる。
（ここまできて、充分な料理力がついたあなたなら、
木べらを使わず、包丁の腹でにんにくをつぶしてもOK）

6

端から細かく切る
（⇒みじん切り）。

7

トマト水煮缶詰400gは下にボールをおいたざる（目の細かいパンチングざるなど）にあけ、ボールに落ちた汁をはかる。

8

汁をはかって（約180㎖になる）鍋に入れ、水（材料外）をたして380㎖にし、固形スープの素１個、塩小さじ½、こしょうひとふりを入れておく。

9

トマトの実をボールに移して、木べらであらくつぶす。

▼ 材料の下ごしらえ② 魚介の下ごしらえをします。

10

あさり18個は水で殻をこすり合わせてよく洗う。最後に流水で洗い、水気をきる。

11

えび６尾は流水で洗ったあと、ひげを切る。

12

えびの背を丸め、頭から2～3節目のところに竹串を刺し、筋状の背わた（えびのはらわた）をすくって、静かに引き抜く。水をはった容器を用意し、竹串をすすぎながらとっていく。

13
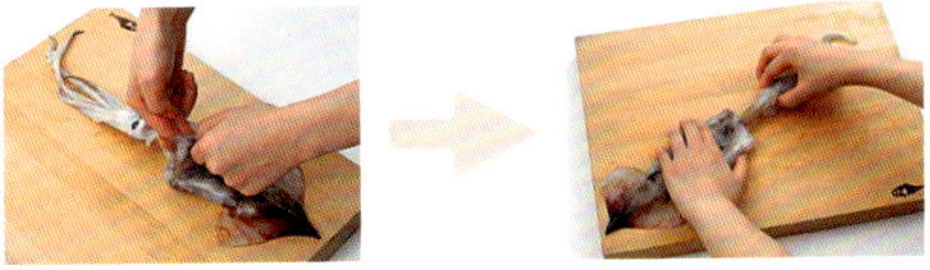
いか1ぱい＊1は胴の中に指を入れ、はらわたと胴のついているところをはずし、左手でエンペラの下を押さえ、右手で頭を持って、はらわたを引き出す。

14
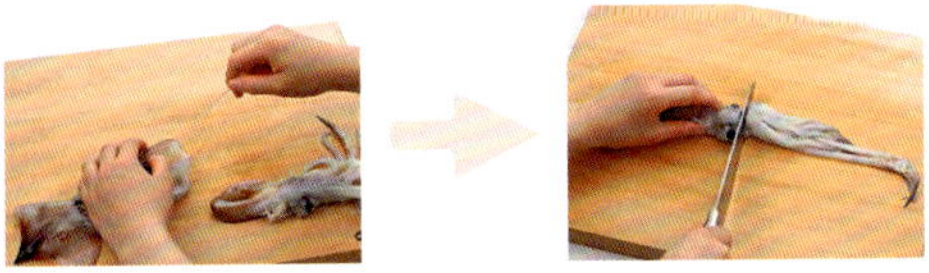
胴から軟骨＊2を引っぱり出し、足は目の下から切り離す。

15
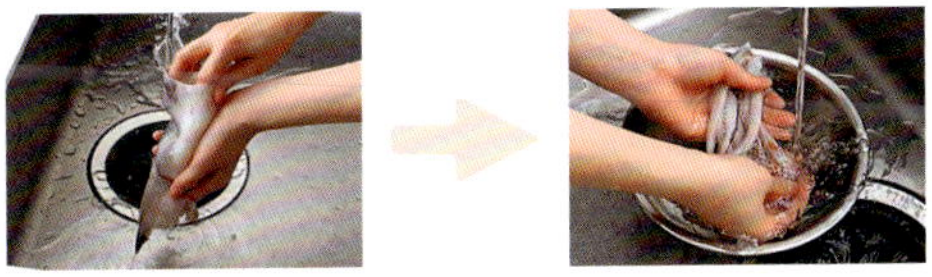
胴の中を流水で洗い流し、足も洗う。

16

ここでは皮はむかずに使う。胴は1cm幅の輪切りにする。足は切り目を入れて開き、かたいくちばし（丸いもの）をとる。

17

足を2本ずつに切り分け、手で吸盤をしごきとる。

吸盤があると口あたりが悪いのでとりたい

＊1
Q:いかの部位の名称を教えて。

A:
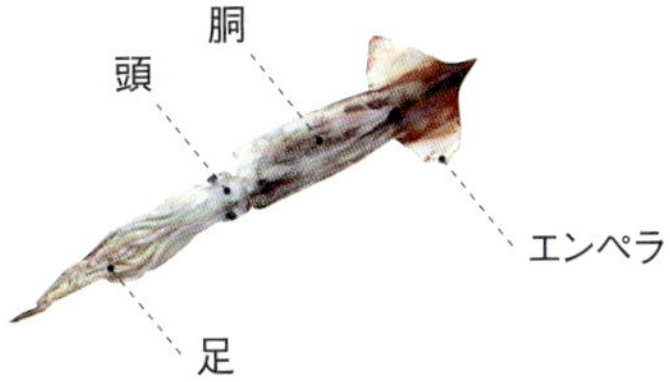

＊2
Q:いかの軟骨ってどれ？

A:胴の内側を指でさぐるとかたくて、薄いプラスチックのようなものが1本くっついているはず。これが軟骨。

▼スープを温め、あとは卓上で（食べる20分くらい前に）、作り始めましょう!

18

8の鍋を中火にかけ、
フワーッとひと煮立ちしたら火を止める。

19

180℃ 180℃ 180℃

ホットプレートは約180℃に設定し、オリーブ油大さじ1を熱し、えびを置いて焼く。

20

180℃ 180℃ 180℃

えびが赤くなったら返し、いかを入れて焼く。
いかの色が白く変わったらピーマンを加えてさっといため、皿にとり出す。

21

白ワイン大さじ2と
塩小さじ1/4、こしょう
ふたふりを全体に
ふりかける。

22

プレートをさっとふく。

23

160℃ 160℃

設定温度を160℃に下げ、オリーブ油大さじ1を入れ、
たまねぎとにんにくのみじん切りを1～2分いためる。
たまねぎが半透明になったら、米を加える。

24

160℃ 160℃ 160℃

あまりかき混ぜない!
ねばりがでてしまうので。

2～3分いため、米に油がなじんで、全体につやが出たら、**18**の温かいスープと**9**の
トマトの実を加える。全体を軽く混ぜながら2分ほどいため、汁気が少なくなるまで
（写真のように、混ぜたときプレートが見える程度）煮つめる。

25

140℃

140℃

140℃

ふたをするときは汁気が少なく
感じるが、あさりや野菜から
水気が出てくるので心配ない。
あさりの殻が次々に開いてくる。

140℃にして、えび、いか、ピーマン、あさりをのせ、ふたをして17～18分、そのまま加熱する。

26

レモン1個を洗って、くし形に切る。（食べるときにパエリアに汁をしぼる）

【始末力UP！】野菜のいかわた焼き

いかのはらわたは捨てない！　こんな酒の肴ができます。

1

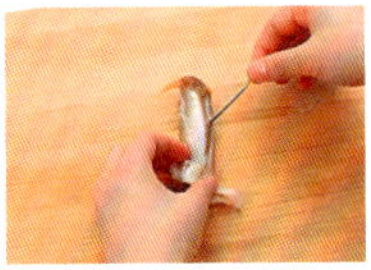

いかのわたは、
横の墨袋をはずす。

2

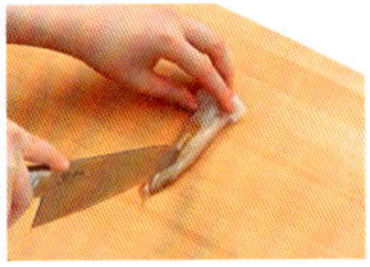

表面に1本切りこみを
入れ、箸ではさんで中身を
ボールにしごき出す。

3 **2**に砂糖小さじ¼、みそ小さじ½、酒小さじ1、ごま油1～2滴を加えて混ぜる。

4 たまねぎ50gは根元を切り、半分に切ってばらす。
ピーマン1個は縦半分に切る。種とわたを除いて、たまねぎと同じくらいの大きさに切る。
しめじ30gは根元を切り、小房に分ける。

5 しょうが5gは皮をこそげてすりおろす。

6 **4**を**3**に加えてあえる。

7

アルミカップケース2つに**6**を分けて入れる。しょうがをのせ、予熱したグリルの中火で7～8分、焼き色がつくまで焼く。

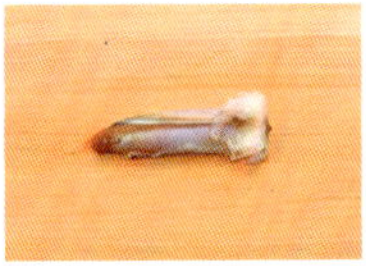

▲いかの目の部分から
切りとった、これがわた。

料理力UPコラム 3

献立力を高めるには?

悩んでしまう毎日の献立。栄養のことを頭におきつつ、味のバランスや調理方法も考えながら、献立を決めよう。

P.146のコラムで、「品数も少しずつ増やしてみる」「冷蔵庫の中のもので作ってみる」と書きました。いろいろ作れるようになったら、今度はバランスのよい献立を目指します。

1.そもそも献立とは?

栄養バランスを考え、献立には3つの要素をそろえよう。[①主食(ごはん、パンなど)②主菜(肉、魚、とうふ、卵などのたんぱく源)1品、③副菜(野菜、海藻などのビタミン・ミネラル源)1〜2品]という組み合わせが基本。とりあえず主菜を考えると、残りの献立が決まりやすい。週に2、3回は魚を摂りたいところだが、細かく決めると大変なので、残りものや特売品も組み合わせながら、臨機応変に考えればだいじょうぶ!

2.味の系統を変えてみる

全部同じような味つけだと飽きてしまう。たとえば、主菜がとりの照り焼きなら、副菜はきんぴらごぼうではなくキャベツの浅漬け、主菜がさばのみそ煮なら、汁ものはみそ汁ではなくおすましに、といった具合。味に変化をつけることで、最後までおいしく食べられる。

3.調理方法が重複しないようにする

たとえば「豚のしょうが焼き、みそ汁、根菜の煮もの、ほうれんそうのおひたし」といった献立。栄養バランスもよく、献立としては及第点だが、よくよく見ると全部がコンロを使うおかず。火口がたくさんあればよいが、そうでなければコンロがふさがり、効率的に作れない。また、はじめに作ったおかずは、食べるころにはさめてしまう。これが「焼き魚(魚焼きグリル)、みそ汁(コンロ)、根菜の煮もの(コンロ)、サラダ(生)」なら、同時に複数の調理が可能となる。

基本

料理の基本のキ

だしの基本

煮もの、汁もの、あえもの…おいしい和食には、だしが欠かせません。
きちんとだしをとることが、和食の基本です。
コツさえおさえれば、意外にかんたんなので、マスターしましょう。

だしは大きく分けて、3 種類あります

だしの種類	だしの素材	素材の選び方・保存法
［かつおだし］  レシピに「だし」と出てきたら、基本的にはこれのこと。ほとんどの和食に使えます。また、短時間でとれます。	 **けずりかつお** 原料はかつおのみ。上品な味なので、お吸いものに。  **混合けずりぶし** かつおのほか、さば、むろあじなどが混ざっています。複雑なうま味があり、安価。煮ものやみそ汁に。  △細かいけずりかつお 香りが出にくいので、あまり向きません。使うときは多めに。	空気にふれると、酸化して味が落ち、香りも飛びます。1 か月程度で使いきれる分量を買うとよいでしょう。 開封後は密閉して、冷蔵保存します。 
［こんぶとかつおのだし］  こんぶとかつおを合わせてとっただし。上等なだしとして、お吸いものなどに使います。こんぶだけでとる「こんぶだし」もあります。	  **こんぶとかつお** 「だしこんぶ用」として売られているこんぶと、けずりかつお（上記参照）を使います。こんぶは、利尻こんぶ、日高こんぶなどが家庭向きです。 **×早煮こんぶ** 一度蒸したものか、若いこんぶのこと。早くやわらかくなりますが、うま味が少ないので、煮ものなどに。	こんぶはよく乾燥していて、赤茶けていないものがよい。10 か月程度もちます。 密閉して冷暗所で保存。はさみで 5 ～ 10 cm長さに切っておくと便利です。 
［煮干しだし］  うま味が強く、魚の香りがあります。みそ汁、めんつゆに向きます。	 **煮干し** いわしの稚魚を、ゆでて干したものです。	赤茶けてなく、きれいな銀白色のものがよい。1 ～ 2 か月で使いきれる分を買います。頭とはらわたをとり、身をさいてから保存するとすぐ使えます。 密閉して、冷蔵か冷凍保存に。 

だしのとり方

＊だしをとるとき、ふたはしません。

上等なだしをとりたいなら ［こんぶとかつおのだし］

1

■基本分量（できあがり量　約 600 mℓ）
水 750 mℓ　こんぶ 5 g　けずりかつお 10 g

こんぶは洗わず、分量の水に 30 分以上つけます。鍋を弱めの中火にかけ、うま味を出します。沸とう直前に、こんぶをとり出します。この段階で「こんぶだし」になります。湯どうふや鍋に使います。

理由　表面についている白い粉もうま味成分なので洗いません。煮出すと、ぬめりや色、こぶくささが出るので、沸とう直前（鍋の内側がプツプツする程度）にとり出します。

2

沸とうしたら、けずりかつおを加えます。再び沸とうしたら火を止めて、1 ～ 2 分おいてから、目の細かいざるでこします。

きれいなだしにしたいなら

ぬらしてかたくしぼったふきんか、ペーパータオルを通じて、こします。お吸いものや、細かいけずりかつおを使うときに。

一般的な和食に使うなら ［かつおだし］

1

■基本分量（できあがり量　約 600 mℓ）
水 650 mℓ　けずりかつお 10 g

湯をわかし、沸とうしたらけずりかつおを入れます。

理由　けずりかつおは、水から煮ると、生ぐさみが出ます。

2

だしの香りをいかしたいとき

再び沸とうしたら、火を止めます。1 ～ 2 分おき、味を引き出します。お吸いものなどに使います。

だしの味をしっかりきかせたいとき

再び沸とうしたら弱火にし、2 分ほど煮ます。煮もの、みそ汁などに。

3

目の細かいざるでこします。魚くささが出るので、だしがらはしぼりません。

みそ汁や味の濃い煮ものに使うなら［煮干しだし］

1

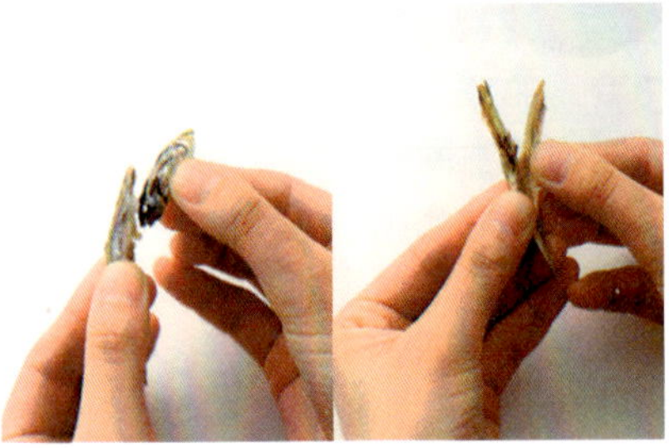

■基本分量（できあがり量　約 600 mℓ）
水 700 mℓ　煮干し 18 g

まず、煮干しの頭とはらわたをとり除きます。次に、大きいものは身を縦 2 つにさきます。

2

さいた身だけを、分量の水に 20 ～ 30 分つけて、身をやわらかくします。

ヒント　前日からつけておくと、うま味が充分出ます（夏場は冷蔵庫に入れます）。

3

弱めの中火にかけ、ゆっくり沸とうさせます。沸とうしたら、弱火にします。アクをとりながら 2 ～ 3 分煮ます。目の細かいざるでこします。

だしQ＆A

Q. だしをとるのに必要な水の量は？

A. 蒸発する分と、けずりかつおやこんぶが吸う分があるので、できあがりの量から 1 ～ 2 割多めに用意します。

Q. だしが少量ほしいときは？

A. 水 50 mℓに対して、けずりかつお 1 gをめやすに作ると、大さじ 2 ～ 3 のだしがとれます。
鍋で 30 秒ほど煮出すか、電子レンジで加熱しても。電子レンジなら耐熱容器に材料を合わせて約 1 分加熱し、茶こしでこします。

Q. だしの保存方法は？

A. 使いきれずに余っただしは、きれいに洗ったペットボトルなど、密閉できる清潔な容器に入れ、冷蔵保存しましょう。翌日には使いきるようにします。

Q. 市販のだしパックや、だしの素は、どう使う？

A. 時間のないとき、市販のだしは便利です。ただし、塩分を含むものもあるので、味をみてから調味します。

だしパック

こんぶ、煮干し、かつおなどを粉末にし、パックにしたもの。水や湯に入れ、表示のとおりに煮出して、とり出します。

インスタントだし

粉末・顆粒・液体があり、いずれも湯に溶かして使います。かつお、こんぶなど、味もいろいろあります。

火加減の基本

火加減ひとつで、おいしさや仕上がり具合が決まります。
どんな調理のときに、どんな火加減にすればよいのか
マスターしましょう。

強火・中火・弱火って、どんな火加減ですか？

	強火	中火	弱火
火の大きさはこれくらい	 火を全開にします。ただし、鍋の底から炎がはみ出さないように。エネルギーのむだになります。	 炎の先が鍋の底に届く程度のこと。「弱めの中火」とは、これよりも小さく、弱火より強いくらいです。	 火をしぼります。炎はしっかり見えますが、鍋の底には届きません。「とろ火」は、これよりさらに小さい火。
鍋の中はこんな感じ	 大きな泡が出て、グツグツとしているくらいです。	 小さな泡が出て、コトコトと音を立てるくらいです。	 具材が静かにゆれ、湯がフツフツと沸とうが続くくらいです。

コンロを使うときは、こんなことに気をつけましょう

[火口の大小を使い分ける]

火口の大きさによって火力が違います。鍋の大きさや、調理するものによって、適当な火口を選びます。

[火口の近くにものを置かない]

鍋つかみや木べらなど、燃えやすいものを火の近くに置いたり、鍋の柄が火口の上にこないように注意します。調味料も火の近くに置きっぱなしにしないこと。熱で風味が落ちることがあります。

調理法によって、火加減はこのようにします

[いためる・焼く…基本は強火～強めの中火]

野菜や肉をいためるときの火加減の基本は強火です。

＊強めの火ですばやく火を通せば、野菜の水分や肉のうま味が逃げずに、おいしく仕上がります。ただし、フッ素樹脂加工のフライパンは強火にするとコーティングがはがれやすくなるので、強めの中火程度で。

こんな場合もあります

★厚みのある肉や魚の場合
中火→弱火で中まで火を通します。

身の厚い魚の切り身やとり肉、ハンバーグなどは、中まで火が通るのに時間がかかるので、ずっと強火だとこげてしまいます。強めの中火で焼き始め、焼き色がついたら弱めの中火にし、中までじっくり火を通します。

★香味野菜をいためる場合
弱火でこがさないようにします。

にんにくなどの香味野菜をいためるときは、鉄製の鍋やフライパンなら、最初に強火で熱してから油を入れ、弱火で。フッ素樹脂加工のフライパンなら、香味野菜と油を入れてから弱火にかけて、じっくりいためます。

★たまねぎをいためる場合
強めの中火→中火でこがさないようにします。

洋風料理ではよく、最初にたまねぎをいためます。このときは、まず強火～強めの中火で水分を飛ばしながらいため、しんなりしたら、こげないように中火にします。最初から火が弱いと、時間がかかります。

★バターを使う場合
中火でこがさないようにします。

バターはこげやすいので、中火で加熱します。半分くらい溶けたら食材を入れ、いためたり焼いたりします。

[蒸す…基本は強火]

しゅうまいや蒸し魚など、蒸しもののときの火加減の基本は強火です。

湯を強火で沸とうさせてから料理をのせ、強火のまま熱い蒸気で蒸しあげます。

こんな場合もあります

★茶碗蒸しの場合
強火→弱火でなめらかに。

茶碗蒸しは、強火で約2分蒸してから、弱火に。やわらかい蒸気で、なめらかに仕上げるためです。

［煮る…基本は強火→中火か弱火］

煮ものや煮こみのときの火加減の基本は、最初は強火。その後、煮立ったら火を弱めます。

まずは強火で。強火で沸とうさせると、アクが集まってきて、とりやすくなります。その後、煮くずれを防ぎ、じっくりと味をしみこませるために、中～弱火にします。

こんな場合もあります

★いもなどを煮含める場合

形がくずれやすいさつまいもや、かぶなどを煮るときは、強火にせずに、静かに煮ます。

★えびなどを酒蒸しにする場合

えびやとりのささみなどを、少量の酒で蒸し煮にするときは弱火で。火が強いと中まで火が通る前に、煮汁がたらなくなります。

［ゆでる…基本は強火］

野菜などをゆでるときの火加減の基本は強火。

煮立った湯に食材を入れ、強火で一気に加熱すると、すばやく均等にゆでられます。

こんな場合もあります

★めん類をゆでる場合
強火→途中で加減

始めは強火ですが、ふきこぼれないよう、途中で火を加減します。

★じゃがいもをゆでる場合
強火→中火

水にじゃがいもを入れ、ふたをして強火にかけて、沸とうしたら中火に。強火のままだと煮くずれしやすくなります。

計量の基本

料理をおいしく作るには、
きちんと計量することが大切です。
特に調味料は、はかるくせをつけましょう。
はかり方と、計量のポイントをまとめました。

手を使ってはかる

めやすの長さは、ふつうの女性の手。一度、自分の手のサイズをはかり、覚えておきましょう。□には自分のサイズを書き入れておくと便利。

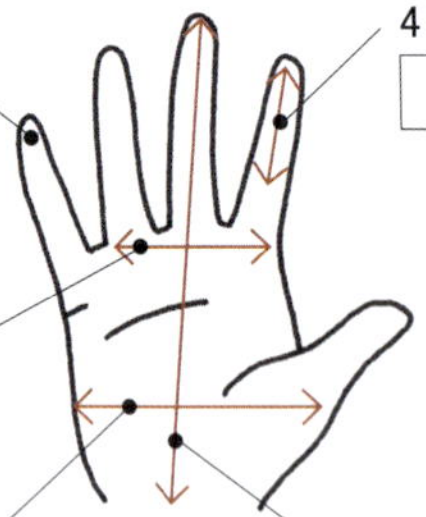

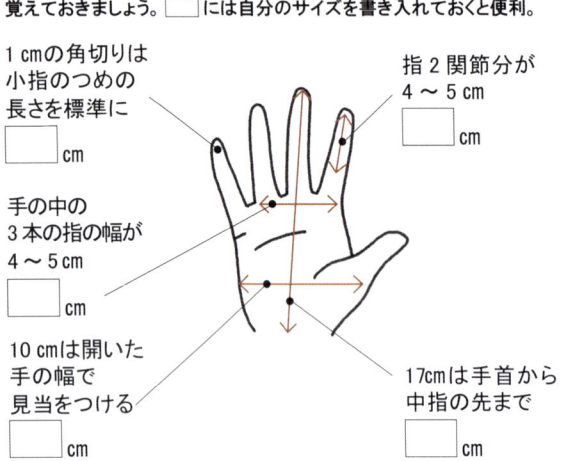

1cmの角切りは小指のつめの長さを標準に
□cm

指2関節分が4～5cm
□cm

手の中の3本の指の幅が4～5cm
□cm

10cmは開いた手の幅で見当をつける
□cm

17cmは手首から中指の先まで
□cm

はかりを使ったはかり方

中央に置きますが、写真のように長くはみ出していると、重さが正確にはかれません。

はみ出してしまうものは、ボールやトレーにのせてはかりましょう。

デジタルのはかりなら、ボールなどをのせてから表示をゼロにできるので、引き算せずに中身の重さだけをはかることができます。

手ばかり・目ばかりでおおまかな分量を知る

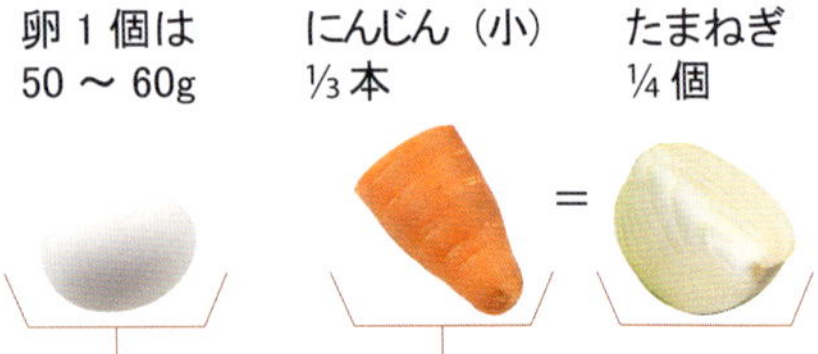

卵1個とほぼ同じ容量・重量の食材

サラダ油大さじ1
大さじは、フライパンに流して、直径6～7cmぐらい。

バター10g
200gのバターなら縦半分にし、1cm幅に切った量がめやす。

調味料の重さ

[主な調味料や粉のかさ（容量）と重さ]

調味料名	小さじ（5 mℓ）	大さじ（15 mℓ）	カップ（200 mℓ）
水	5	15	200
酢	5	15	200
酒	5	15	200
ワイン	5	15	200
しょうゆ	6	18	230
みりん	7	18	230
砂糖	3	8	110
塩	5	15	―
みそ	5	16	―
バター	5	14	―
牛乳	5	15	210
生クリーム	5	14	200
油	4	13	180
マヨネーズ	5	12	―
トマトケチャップ	6	16	―
ウスターソース	5	16	―
小麦粉	3	8	100
かたくり粉	4	10	―
パン粉	1	3	40
カレー粉	2	6	―

※上記は、ベターホーム調べによる数値（単位はグラム）

[塩分 1 グラムの換算めやす表]

塩	しょうゆ	みそ	中濃ソース	マヨネーズ
小さじ⅕	小さじ 1	大さじ ½	大さじ 1	大さじ 4

[かさと重さは違う]

かさ（容積）と重さは、同じとは限りません。たとえば水カップ 1(200 mℓ)は 200g ですが、パン粉カップ 1（200 mℓ）は約 40g です。また、水大さじ 1（15 mℓ）は 15g ですが、砂糖大さじ 1（15 mℓ）は 8g です。

[正味とは]

枝豆 100g

枝豆のさや

枝豆正味 50g

レシピに書いてある野菜や魚の重さは、種や皮、内臓などを含んだ重さです。「正味」と書いてあったら、それは実際に食べる分量のことです。
たとえは、レシピに「えび（正味 50g)」とあったら、殻をむいた状態で 50g 必要ということで、「枝豆（正味 50g)」とあったら、さやを除いた豆の部分が 50g 必要ということになります。

炊飯の基本

毎日の食卓に欠かせない、ホカホカごはん。
お米の種類や、おいしく炊くコツを紹介します。

ごはんを炊きましょう

1 正確に計量します

炊飯器についている「米用カップ」で、すりきりにしてはかります。

注意 ふつうの料理用の計量カップは、「カップ 1 = 200 mℓ（cc）」ですが、米用カップは「カップ 1 = 180 mℓ（cc）」。日本の米の単位の 1 升の 10 分の 1 が 1 合（= 180 mℓ）であることから、このようになっています。

2 とぎます

・ぬかを除くためにとぎます。リゾットやパエリア(P.182)では、とがない場合も。
・炊飯器の内釜でとぐと、表面加工に傷がつきやすいので、ボールを使ってとぎましょう。
・無洗米はとがずに使えますが、ほこりなどが気になる場合は、さっと水に通します。

1. 最初の水は、たっぷり一気にそそぎ、さっとかき混ぜてすぐに流します（たっぷりの水に米を一気に入れても）。

米は最初に出会った水分をすぐに吸収します。ぐずぐずしていると、ぬかくさくなるので、手早く。

2. 手のひらで米を軽く押すようにして、20 ～ 30 回 *、手早くとぎます。水を 3 ～ 4 回かえて、すすぎます。

* 米用カップ 2 の場合の回数です。米の量によって回数が違ってきます。気にすると、いつまでも水がにごって見えますが、これは米のでんぷん質。3、4 回かえれば充分です。

3 水加減をします

1. 平らなところで確認します

といだ米を内釜に移し、目盛りに合わせて水を入れます。ふつう、米を炊くときの水量は、米の容量の 1.1 ～ 1.2 倍が必要です（米180 mℓに対して水 198 ～ 216 mℓ）。炊飯器の目盛りは、これに合わせてあります。

水加減いろいろ

★すし飯のとき
すし飯用のごはんは、米と同量の水加減（米 180 mℓに対して水も 180 mℓ）にします。すし飯は、炊いたあと、ごはんにすし酢の水分が入るためです。

★無洗米のとき
無洗米は、あらかじめぬかが除かれているぶん、カップに多く米が入ります。洗わないので、吸水もしていません。だから水を多めに。米用カップ 1 につき、大さじ 1 ～ 2 程度増やします。無洗米専用のカップや、無洗米用の目盛り付きの内釜なら、その水加減でだいじょうぶです。

★炊きこみごはんのとき
水のほかに調味料の水分が入り、さらに、具から水分が出ることがあるので、レシピに従って水加減します。

2. しっかり吸水させます

30 分以上おいてからスイッチを入れます。時間をおくことで、米の中心まで適度に水分が浸透し、おいしく炊きあがります。

注意 最近の炊飯器の多くは、この浸水時間も計算に入れ、時間がきたら自動的に加熱し始めます。つまり、内釜をセットして、すぐにスイッチを入れてもだいじょうぶな場合がほとんど。お持ちの炊飯器の機能を、よく確認してください。

4 炊けたらさっくりと混ぜます

しゃもじはぬらして使います

まず、内釜のまわりにぐるりとしゃもじを入れます。次に、ごはんを返すように全体をさっくりと混ぜ、余分な水分を飛ばします。

米Q&A

Q. 米は、どうやって保存する？

A. 購入したときの袋のままでは虫がつきやすいため、密閉容器に移します。流しの下は避け、湿気のない涼しい場所に置きます。

精米後は味が落ちるので、1か月以内で使いきれる量をめやすに購入します。

Q. ごはんは、どうやって保存する？

A. 炊飯器の保温機能では、数時間が限度です。味が落ち、電気代もかさみます。

冷蔵保存は味が落ちるので、すぐに食べない分は、冷凍しましょう。炊きたてを1食分ずつラップで平らに包み、さめてから保存袋に入れて、冷凍庫に。

Q. 米用カップ1の米は、どのくらいのごはんになる？

A. 米用カップ1の米の重量は150g。炊くと2.1～2.3倍になるので、315～345gのごはんができあがります。茶碗に2杯分強です。

Q. もち米を炊く場合は？

もちもちとした食感で、もちや赤飯に使われます。さめてもかたくなりにくいのが特徴です。

1. もち米は、やわらかいので軽くとぎます。
2. 水加減は、もち米と同量にします（もち米180 mℓに対して水も180 mℓ）。
3. 1時間以上おいて、しっかり吸水させてから炊きます（浸水時間は、ふつうの米より長くなります）。

Q. 玄米を炊く場合は？

2つの方法を紹介します。玄米炊き機能がある炊飯器の場合は、それに従ってください。

1. 汚れを軽く洗い流します。
2. 【方法・1】たっぷりの水に7～8時間つけて、しっかり吸水させます。いったんざるにあげて水気をきり、ふつうの水加減で炊きます。
【方法・2】1.5倍の水加減にし、2～3時間つけてからそのまま炊きます。
＊発芽玄米は、ふつうの米と同じ炊き方でだいじょうぶ。

野菜の切り方の基本

**野菜は切り方ひとつで、味のしみこみ具合や、
歯ごたえ、見ばえが変わってきます。
おなじみの切り方をおさらいしましょう。**

包丁の使い方

［基本の切り方］

包丁で切りながら手を左にずらし、切る幅を調整する。
左手の人さし指か中指の第一関節が、包丁の腹に当たるように
包丁を向こう側に押すように切る
柄は右の手のひらで包むように持ち、柄のつけ根をしっかり握る

★右利きの場合です。
左利きの場合は、左右逆にします。

野菜を切る方向

野菜は繊維にそって切るか、繊維を断ち切るかで、歯ごたえや風味に違いが出ます。

繊維の向き

★細長い野菜は、ほとんど縦に繊維が走っています。
★繊維にそって切ると、形がくずれにくく、シャキシャキとした歯ごたえになります。

［たまねぎの薄切りは、香りの出方が違います］

**繊維にそって切る
→形がくずれにくい**

加熱してもくずれないので、いためものなどに向きます。

**繊維に直角に切る
→香りが強く出る**

水にさらしたとき、辛味がとれやすくなります。サラダなどの生食や、香りを出したいスープなどに。

［きゅうりのせん切りは、色の出方が違います］

長さがそろう切り方

端を切り落とし、長さを等分に切って、さらに縦に薄く切ります。ずらして重ね、端から細く切ります。

両側に皮がつく切り方

斜め薄切りにします。ずらして重ね、端から細く切ります。

切り方いろいろ

[輪切り]

繊維に直角に、丸い形に切ります。

[半月切り]

適当な長さの輪切りを縦半分にし、端から切ります。

[いちょう切り]

輪切りを縦半分、さらに縦半分にし、端から切ります。

[せん切り] 基本は繊維にそって切る。歯ごたえがあり、長さもそろえやすい

1 適当な長さに切り、縦半分に切ります。

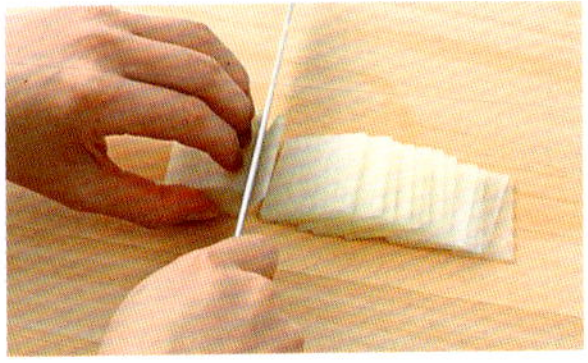

2 切り口を下にして置き、繊維にそって薄く切ります。

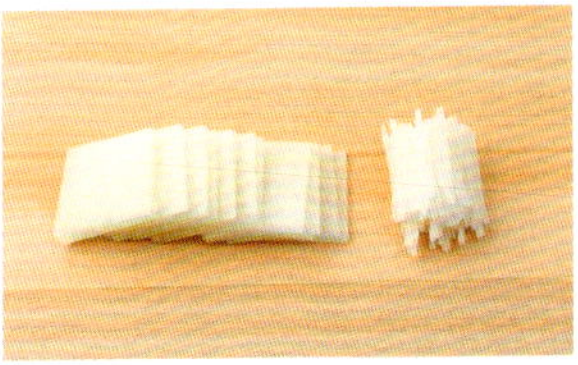

3 少しずつずらして重ね、繊維にそって端から細く切ります。

しょうが

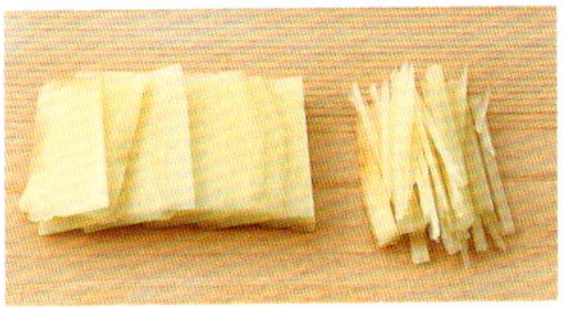

繊維にそって薄切りにします。少しずつずらして重ね、端から細く切ります。

★しょうがは繊維に直角に切ると、刃が繊維にあたって切りにくい。

針しょうが

しらがねぎ

★せん切りよりも、さらに細く切ったもの。切ったあと、水にさらしてシャキッとさせます。

ねぎ

1 縦に切りこみを入れ、中の薄い黄緑色の芯をとり除きます。

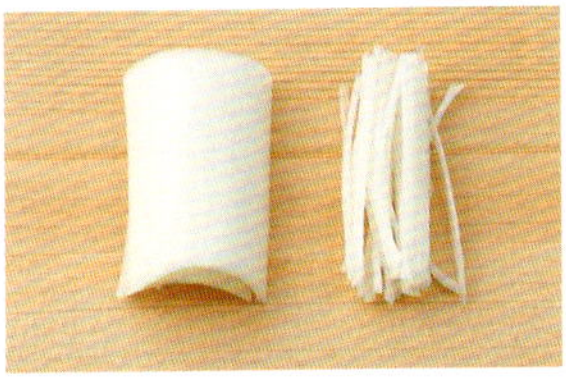

2 開き、内側を下にして置きます。繊維にそって、細く切ります。

こんなときは、繊維にこだわらずに切る

少量のとき むだの出ない切り方

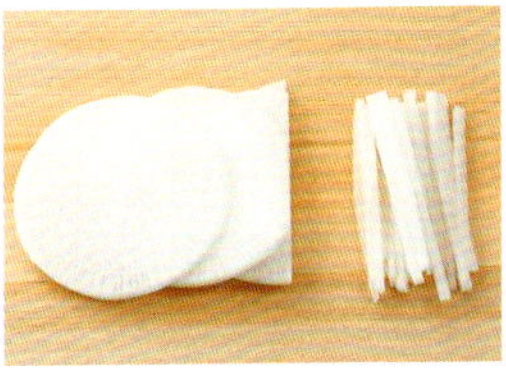

薄い輪切りにしたものをずらして重ね、端から細く切ります。

キャベツ 葉脈の流れが繊維と逆なので断ち切ることに

葉を2～3枚重ねて、両端を内側に丸めて押さえ、端から細く切ります。

[乱切り] 包丁は常に斜めのまま、左手で包丁を回転させながら

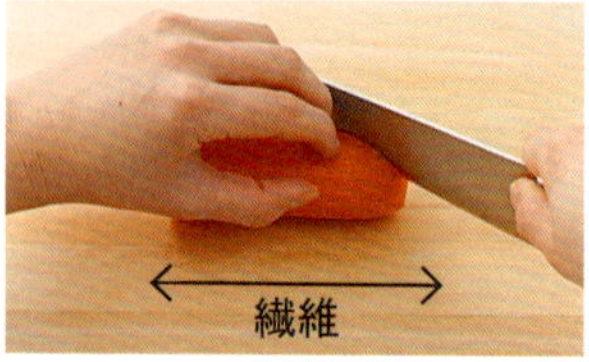

1　繊維に対して斜めに包丁を入れて切ります。

2　手前に 90° 回転させ、切り口を上にもってきます。同様に斜めに包丁を入れます。

3　さらに手前に 90° 回転させ、斜めに切ります。これをくり返します。

[ささがき] 野菜を回しながら、鉛筆をけずるように

包丁をねかせ、鉛筆をけずるように、野菜を回しながら切ります。

慣れない人は…

まな板にあてて

皮むき器で

★野菜が太いときには、縦に浅い切りこみを数本入れておきます。
★ごぼうの場合は、切るそばから水につけ、変色を防ぎます。

[そぎ切り]

包丁をねかせて入れ、斜め右上からそぐように切る。

[くし形切り]

1　丸い野菜を縦半分に切ります。

2　中心部分から包丁を入れ、3 ～ 4 つに切り分けます。

[たんざく切り] ★長さ 4 ～ 5cm、幅約 1 cm のたんざく形に切る場合

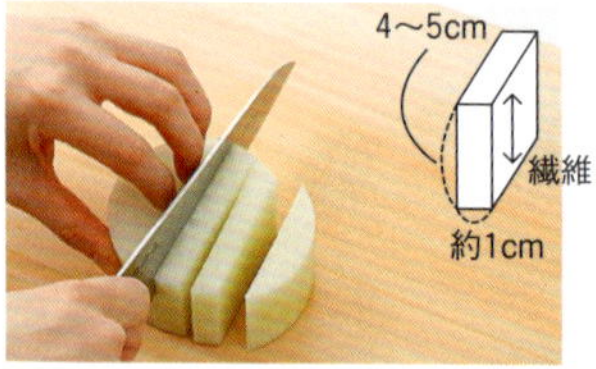

1　長さ 4 ～ 5 cmの輪切りにし、幅約 1 cmに切ります。

2　繊維にそって端から薄切りにして、たんざく形に。

[小口切り]

ねぎなどの長いものを、端（小口）から薄く切ります。

[あられ切り]

一辺が 5mm くらいの
さいころ形

[さいの目切り]

一辺が 1cm くらいの
さいころ形

[みじん切り] 基本は細く切ったものをそろえて、端から細かく切る

★たまねぎの場合は、下記の切り方を覚えるとかんたんです。

たまねぎ

1 根元を残して縦に切る
縦半分に切り、根元を少し残して、細かく切りこみを入れます。

2 根元を残して横に切る
横から包丁を入れ、2〜3か所切りこみを入れます。

3 端から細かくきざむ
切りこみのほうから切ります。
＊根元はとり除き、細かくきざみます。

4 さらに細かくきざむ
包丁の柄を上下に動かしながら、まな板の上を移動させ、さらにきざみます。

大きさを比べてみると…

みじん切り　＊あらみじん　あられ切り　さいの目切り

＊少し大きめのみじん切りのこと

ねぎ

1 端を少し残して、縦に 5cm 長さ程度の切りこみを数本入れます。

＊切りこみは長くしすぎると、ねぎが反り返り、切りにくくなります。

2 切りこみのほうから、細かく切ります。1〜2 をくり返します。

＊残った端は、細かくきざみます。

かたい野菜を切るとき

★力のもっともかかる刃の中央を使い、
効率よく包丁を入れるのがコツ

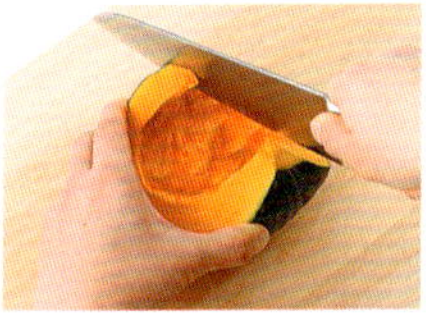

包丁の刃先を出し、刃の中央あたりで切りこみを入れます。

左手で刃先を押さえ、包丁の柄をぐっと下げます。

野菜の保存の基本

**食べものは、最後までおいしく食べきりたいもの。
保存法ひとつで、野菜のもちはグンと違ってきます。
新鮮さをきちんと保ちつつ、
より長く保存するコツをまとめました。**

[きゅうり・グリーンアスパラガス]

袋に入れ、野菜室で立てて保存します。倒れやすいので、牛乳パック（洗って上部を切りとる）などに入れても。

[青菜]

根元をしばっているテープを除きます。袋の口を軽く折り（密閉はしない）、野菜室で立てて保存します。

[なす]

2～3日なら、冷暗所で保存できます。それ以上なら、袋に入れて、野菜室へ。ただし、冷気に弱いため、皮が固くなったり、種が黒くなったりします。早めに食べきりましょう。

[たけのこ（ゆでたけのこ）]

ゆでたたけのこは、密閉容器に入れ、水につけて、冷蔵庫で保存します。毎日水をかえれば、1週間ほどもちます。真空パックの水煮も、封をあけたら同様にします。

[トマト]

袋に入れ、つぶれにくいよう、へた側を下にして、野菜室へ。ほかの野菜につぶされないよう、いちばん上に置きましょう。

[キャベツ]

芯の切り口が茶色く変色している場合は、そこからいたむのでそぎ落とします。ラップをし、野菜室で保存します。

[サラダ菜・レタス]

葉が傷ついていると、そこからいたむので、そういった葉ははずします。芯の切り口が茶色く変色していたら、切り落とします。袋に入れ（密閉はしない）、芯を下にし、野菜室へ。

[だいこん・かぶ・セロリ]

葉が養分を吸って茎の部分がスカスカになってしまうため、葉は切り落とします。それぞれ袋に入れ（またはラップで包み）、野菜室で立てて保存します。

[ブロッコリー]

袋に入れ、軸のほうを下にして、冷蔵庫（できればチルド室）に入れます。いたみやすいので、早めに使いきります。

[しょうが・みょうが]

水気があると、いたみやすくなります。表面の水気をよくふきとり、ラップで包んで、野菜室で保存します。

[もやし]

残った場合は、なるべく空気を押し出して口を閉じ、野菜室に入れます。いたみやすいので、早めに食べきります。

[ねぎ]

ラップで包み、野菜室で立てて保存します。冬場は、切らずに新聞紙でくるみ、根を下にして冷暗所で保存しても。

[はくさい]

ラップで包んで野菜室へ。冬場で、丸ごとなら、新聞紙に包んで、芯を下にしておくと、冷暗所で２週間ほどもちます。

[しその葉]

びんに入れ、茎が浸る程度の水を入れ（葉の部分に水がつくと黒くなるので注意）、ふたをします。１週間程度保存可能。

基本的に常温（冷暗所）でだいじょうぶな野菜

※ただし、使いかけのものはラップをし、野菜室で保存します。

[じゃがいも]

新聞紙で包みます（光があたると、緑色に変色するため）。かごなど、風通しのよいものに入れ、冷暗所へ。

[たまねぎ]

かごなど、風通しのよいものに入れ、冷暗所で保存します。

[さといも・ごぼう]

乾いたまま、泥を軽く落とします（たくさん泥がついているとくさりやすい）。新聞紙で包み、かごなどに入れ、冷暗所で保存します。

[にんにく]

湿気を嫌うので、かごや網袋など、風通しのよいものに入れ、冷暗所で保存します。

Q&A

Q. 冷暗所とは？

A. 野菜を常温で保存するときには、冷暗所に置きます。冷暗所とは、日があたらず、温度が低く、風通しのよい場所のこと。マンションなどでは、湿気がこもりがちなので、夏場や暖房のきいた室内では、冷暗所と呼べる場所は、あまりないでしょう。そのため、常温保存可能としている野菜でも、野菜室で保存したほうが無難です。

Q. 野菜によっては、縦にして保存するのはなぜ？

A. 「縦にする＝畑に生えたりなったりしている状態にする」ということです。たとえば畑で縦に生えていた野菜を横に寝かせると、そこから無理やり上に成長しようとするため、むだに栄養を使い、おいしくなくなったり、もちが悪くなったりします。野菜室のスペースが可能な限り、立てて保存しましょう。

Q. 買ったときの袋のまま保存してもいい？

A. すぐに使う予定なら、そのままでもかまいません。長く保存したい場合は、市販の野菜用保存袋（下記）などに移しましょう。もちがよくなります。最近では、はじめからその野菜の保存に適した袋に入れて売られていることもあります。その場合は、そのまま保存してOK。袋の表示を確認しましょう（『鮮度保持』などと書かれています）。

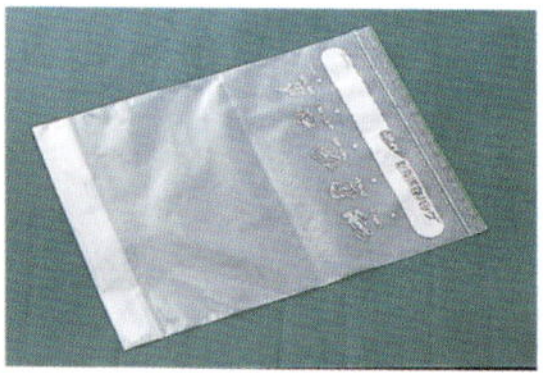

野菜のゆで方の基本

「ゆでる」とひと口に言っても、「水 or 湯からゆでる」、
「ふたをする or しない」など、野菜によって変わってきます。
色鮮やかに、おいしくゆでる方法をマスターしましょう。

野菜をゆでる基本Q＆A

Q. 塩は入れるの？

A - 1. 色よくゆでることだけが目的なら、塩は不要。短時間でゆで、すぐ水にとって急冷させれば、塩なしでも色鮮やかにゆであがります。色よくゆでることを目的に塩を入れるなら、湯量に対して 2％（湯 1ℓに対し塩大さじ1⅓）もの塩が必要となり、野菜にかなり塩味がついてしまいます。

A - 2. ゆで野菜に塩味をつけたいときは、塩を入れます。量は 0.5 〜 1％（湯 1ℓに対し、塩小さじ 1 〜 2）がめやすです。

★湯をわかすときは、ふたをすると早くわき、熱のむだもありません。

Q. 湯に入れる順番は？

A. かたい部分から湯に入れます。同じ野菜でも、かたい部分とやわらかい部分では、ゆであがりの時間が違うからです。

青菜などをゆでる場合、太ければ根元に十文字に切りこみを入れておきます。

青菜は、茎のほうから徐々に湯に入れていくと、ムラなくゆであがります。

Q. ゆであがりの見方は？

A. ひとつとって食べてみるか、爪を立てる、（根菜類は）竹串で刺してみるなどして、かたさをみます。

ゆであがったあと、余熱でも火が通るので、少しかためでざるにとります。

★ゆで時間のめやす（鍋に入れてから）
青菜 ½ 束（150g）・アスパラガス 4 〜 5 本…1 〜 2 分
ブロッコリー 1 個（小房に分けたもの）…約 2 分
じゃがいも 2 個（ひと口大に切ったもの）…8 〜 10 分
★ゆで時間は、鍋の大きさ、火力、野菜の量によって変わります。

Q. 同じ湯で違う野菜をゆでる場合の順番は？

A. アクの少ないもの、色の出ないものからゆでてきます。
例 ブロッコリー → チンゲンサイ → ほうれんそう

野菜をとり出しては、次の野菜をゆでていきます。

土の上で育つ野菜（緑色の野菜）

[おおむね火の通りがはやい野菜]

例　ほうれんそうやしゅんぎくなどの青菜類、さやいんげん、さやえんどう、枝豆、アスパラガス、ブロッコリーなど。

[熱湯に入れてゆでる]

材料が泳ぐくらいたっぷりの湯量

沸とうした湯に入れ、強火で短時間でゆであげます。
＊湯量が多いほど、温度が下がりにくいので、短時間でゆでられます。
＊短時間だと、野菜の緑色が鮮やかなままゆであがります。
＊野菜が多い場合は、同じ湯で２～３回に分けてゆでます。

[ふたをしないでゆでる]

短時間でゆであがるので、ふたは不要です。
＊緑色の野菜は、ふたをしてゆでると、色が悪くなってしまいます。

土の中で育つ野菜（いも・根菜類）

[おおむね火が通りにくい野菜]

例　じゃがいも、さつまいも、にんじん、さといも、だいこん、ごぼう、れんこんなど。

[水からゆでる]

材料がかくれるくらいの湯量

水から野菜を入れて火にかけ、沸とうしたら中火でゆでます。＊材料がかくれるくらいの水でゆでると、ゆであがりにはほとんど水がなくなり、ほっくりゆであがります。

＊いもや根菜類を熱湯でゆで始めると、火が通る前に外側がくずれてしまいます。

じゃがいもは皮つきのまま４つ割りにし、ゆでてから皮をむくと手軽。

[ふたをしてゆでる]

ゆで時間が長くかかるので、ふたをして、温度が下がらないようにします。

さといもはふきこぼれやすいので、ふたはしません。

ゆであがったら、手早くさまします

余熱で火が通りすぎないようにすることと、色を鮮やかに残すためです。

［青菜］

余熱で色が悪くなるのを防ぐために、すぐに水にとってさまします。ほうれんそうなどは、アクを抜く目的もあります。

水を１～２回かえ、さめたらすぐに水気をしぼります。

［青菜以外の野菜］

重ならないように、ざるに広げてさまします。

＊青菜以外の野菜は、アクが少なく、余熱でさほど色が変わらないので、水にとる必要はありません。
＊水にとってさますと、水っぽくなってしまいます。

電子レンジで加熱するには

少量のときは、電子レンジを使うと手軽です。

1．加熱前の下準備をします

丸ごとの野菜は、ラップに包みます。

野菜を洗い、ぬれたままラップで包みます。熱の通りが均一になるように包むのがポイント。たとえば、アスパラガスは穂先と茎を交互に、キャベツは葉と軸が交互になるように。

切った野菜は、耐熱皿に入れて、ラップをかけます。

熱が均一になるように、耐熱皿に重ならないように並べます。

丸ごとのじゃがいもは皮がラップのかわりになるので、洗ったらぬれたままでOK。さらに、ペーパータオルを水でぬらしてしぼり、おおうようにかけるとムラなく仕上がる。

2．加熱後は、すばやくさまします

アクが少なく、色が変わりにくい野菜

例　さやいんげん、さやえんどう、アスパラガス、キャベツ、ブロッコリーなど

加熱後は、ざるに広げてさまします。

アクが強く、色が変わりやすい野菜

例　ほうれんそう、しゅんぎくなどの青菜

すぐに水にとってさますとアクも抜けます。水を１～２回かえて、すばやくさまして、しぼります。

揚げものの基本

揚げものは「めんどう・こわい」と思われがちですが、
コツさえ覚えれば、意外にかんたん。
揚げ油の上手な処理法も覚えましょう。

揚げる前に準備しておくこと

[素材の下ごしらえ] 揚げたときに、素材が縮んだり、油がはねないよう、下ごしらえをします。

切り目を入れる

豚ロース肉

肉の赤身と脂身の境にある筋を、刃先で2cm間隔くらいに切り、身縮みを防ぎます。

えび・いか

えびは腹側に浅く切り目を入れてのばすと、まっすぐ揚がります。いかは周囲に切りこみを小さく入れ、丸まらないようにします。

ししとうがらし・オクラ

揚げたときにはじけないように、縦に1本切り目を入れます。

水気をとる

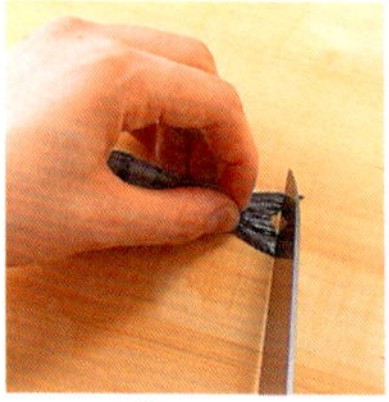

えび

えびの尾の先を切りそろえ、水をしごき出します。油はねを防ぐためです。

野菜・魚介

魚介や、水にさらした野菜などは、しっかり水気をとります。やはり油はねを防ぐためです。

皮をむく

いかの皮や薄皮がついていると、油がはねやすくなります。ペーパータオルなどで持つと、むきやすい。

[どんな鍋がよい？]

深さがあり、表面積が広い鍋が向きます。深さがあると油はねをある程度防ぐことができ、温度変化も少なくてすみます。表面積が広いほうが、一度にたくさん揚げられます。

[揚げバットの準備]

不要な紙（新聞紙やチラシなど）を敷いておくと、後始末がらく。バットがなければ、皿にペーパータオルを敷いて代用します。

揚げるときのコツ

[油に入れるとき]

・深さ 3 ㎝以上の油を温め、油がはねないよう、そっと入れます。
・素材の量は、温度が下がらないよう、鍋の表面積の ½ ～ ⅔ くらいまでにします。

[油を汚さないくふう]

揚げかすは、そのままにしておくと、こげて油が汚れるうえ、次の揚げものについてしまいます。
・から揚げなどは、余分な粉をはたいてから入れます。
・揚げかすは、こまめにすくいとります。

[油の温度の見方]

低温 150℃	中温 160 ～ 170℃	高温 180℃
▼さい箸を水でぬらしてからふき、油の中に入れる方法		
 箸先から泡がチョロチョロと出る	 箸全体から泡がフワフワと出る	 箸全体から泡がワァーッと出る

▼天ぷらの衣を油に落としてみる方法

150 ～ 160℃	170 ～ 180℃　↓高すぎる
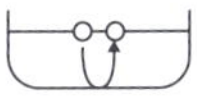 いったん底まで沈み、ゆっくり上がってくる	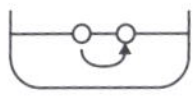 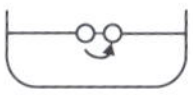 途中まで沈み、浮き上がってくる。すぐ浮かび、表面で散るようだと温度が高すぎる

[揚げあがりのめやす]

揚げ始め

1. 大きな泡が出て、大きく広がる
2. パチパチと大きい音がする
3. 油の中に沈み、持ったとき重い

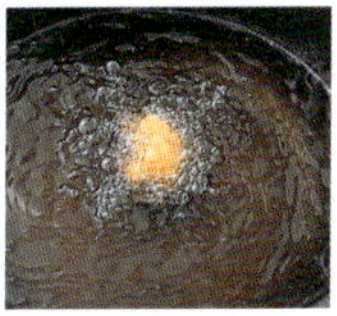

揚げ終わり

1. 小さく細かい泡になる
2. チリチリと、小さい音になる
3. 軽くなり、浮いてくる

料理	野菜の素揚げ	とりのから揚げ	いか・えびの天ぷら・かき揚げ	コロッケ（冷凍食品は除く）	とんカツ（約1㎝厚さ）
温度・時間	150 ～ 160 ℃ 時間は野菜によって違う	170℃ 4 ～ 6 分	170 ～ 180℃ 2 ～ 3 分	170 ～ 180℃ 2 ～ 3 分	170℃ 1 ～ 2 分揚げ、裏返して約 3 分
コツ・揚げあがりのめやす	 ししとう、ピーマンなどは色が鮮やかに変われば。かぼちゃやれんこんなどは竹串が刺されば。	 竹串がスッと刺されば火が通っている。赤い汁が出たり、なかなか入らなければ、まだ生。	 かき揚げは表面が少し固まり、薄茶色になったら。箸で穴を開けると火通りがよくなる。	 中身は火が通っているので、よい揚げ色になればOK。	 途中で上下を返す。泡が小さくなり、持って軽ければ、揚がっている。竹串で確かめても。

揚げたあとは？

揚げた素材

[重ねずに油をきる]

揚げたものは、重ねずに立てかけて、油をきります。重ねて置いておくと、仕上がりがベタつきます。

揚げ油

[油こし器でこす]

網じゃくしで揚げかすをすくい、温かいうちに油こし器でこします。さめすぎると、ねばりが出て、こしにくくなります。

揚げ油

[一度揚げものに使った油は、どうする？]

2、3 回は揚げものに使えます。そのほか、いためものや、揚げ焼き（少量の油で揚げること）で使いきりましょう。

揚げ油

[劣化した油の見分け方]

油は揚げているうちに、劣化して、酸化してきます。

1. 色が悪くなる
2. いやなにおいがする
3. ねばりが出て、油ぎれが悪い
4. 煙が立ちやすくなる
5. 泡立ちやすくなる

以上のようになったら、おいしく揚がらないので、下記の方法で捨てましょう。

油の捨て方

台所の排水溝に捨てると、環境を汚す原因に。決して流してはいけません。

使いきれずに劣化した油は、燃えるごみとして捨てます。新聞紙や不要な布を丸め、牛乳パックに詰めたものに吸わせて捨てるか（A）、油を吸わせるパルプ材（B）や油凝固材を使ってもよいでしょう。鍋に残った油も、不要な紙などできれいにふきとってから洗います。

A

B

調味料の保存の基本

毎日使う調味料は、料理の味を決める大切なもの。
品質を落として、せっかくの料理を台なしにしないよう、
正しく使い、上手に保存しましょう。

毎日の料理に使う基本の調味料

[どこに置いたらいい？]

●使わないときは、暗くて温度変化の少ない場所に置きます。調理台の下、戸棚などがよいでしょう。そういう場所がなければ、酒としょうゆは冷蔵庫で保存します。
●直射日光の当たるところ、温度変化の激しいところ、湿気の多いところは、変質しやすいので避けます。

●コンロのそばや、窓際に出したままにしないようにします。
●口を開封したまま置くと、空気に触れて酸化し、変質します。また、調理中の水や油、虫なども入りやすくなります。

●よくシンク下に置きがちですが、湯の通り道があり、湿度、温度が高くなるため、保存には向きません。

[夏場はどうする？]

●温度が高いと、味、香り、色の変質が早くなります。開封ずみのしょうゆ、酒は冷蔵庫に入れましょう。

毎日の料理に使う基本の調味料

	塩	砂糖	しょうゆ	酢
開封後の保存期間	 固まることはありますが、品質は劣化しないため、賞味期限は基本的にありません。		開封後、約1か月（こいくち、うすくちともに）。 	開封後、半年以内に使いきります（すし酢などの調味酢は、早めに使いきる）。 
どこで保存するか	暗くて、温度変化が少ない場所に置きます。こしょう、かたくり粉などとまとめて置いておくと、調理のとき便利です。		暗くて、温度変化の少ない場所に置きますが、冷蔵庫のほうが、風味は落ちにくい（ただし、室温保存でも劣化しづらい容器に入った商品もある）。	暗くて、温度変化の少ない場所に置きます。腐敗しないので、夏場でも冷蔵庫に入れる必要はありません。
使うときのポイントとトラブル解消法	**湿気に気をつける** ぬれた手でさわらないようにします。  加熱中の鍋の上で計量しないようにします。 	**砂糖が固まった！** 固まるのは乾燥が原因です。くだいて使うか、ポリ袋に入れて、霧をふいて口を閉じ、1日おくと、サラサラの状態にもどります。   スプーンを入れたままにしがち。こまめに洗いましょう。	**そそぎ口は清潔に** たれたしょうゆが、容器や、そそぎ口に残ると、固まってしまいます。汚れたら、さっとふきとりましょう。 	**ふたは閉める** 使い終わったら、ふたはきちんと閉めましょう。酢は、空気中の酢酸菌と反応して、くらげ状モロモロしたものができることがあります。無害ですが、風味は落ちます。 
劣化の見きわめ	長期保存しても、腐敗、劣化することはありません。	長期保存しても、腐敗、劣化することはありません。まれに黄色く変色することがありますが、無害です。	開封後、時間がたつにつれ、色が濃くなり、味、香りとも悪くなります。	白いモロモロしたものができたら、風味が落ちているので、食用には向きません。まな板の除菌に使うなど、掃除用に。

酒	みりん	油
開封後、 2～3か月 	開封後、 2～3か月 	開封後、 1～2か月 
暗くて、温度変化の少ない場所に置きます。夏場は冷蔵庫に入れます。	暗くて、温度変化の少ない場所に置きます。アルコール分の少ない「みりん風調味料」は、冷蔵庫で保存します。	暗くて、涼しい場所に置きます。低温だと白く固まることがありますが無害です。温めるともどります。
	白いものは何？ そそぎ口や容器の底に白いかたまりができることがありますが、糖分の結晶なので無害です。 	**掃除をらくにする** 油はそそぎ口からたれて、底が汚れやすいもの。菓子箱や、折った包装紙などを下に敷くと、掃除がらくです。 
色が濃くなることがありますが、天然のうま味成分のためです。賞味期限内なら、問題ありません。	色が濃くなることがありますが、天然のうま味成分のためです。賞味期限内なら、問題ありません。	フライパンで少量加熱し、変なにおいがなければ、加熱調理に使えます。もし少しでも酸化臭がしたら、使わないほうが無難です。

ほかの容器に入れ替える場合は？

●雑菌が入りやすいので、塩、砂糖以外は基本的にはほかの容器に入れ替えないようにします。品質が落ちる前に使いきれるサイズを買い、回転をよくしたほうがよいでしょう。やむなく入れ替えるときは、以下のことに気をつけます。

塩、砂糖

●袋のままでは出しにくく、湿気や乾燥を防ぐためにも、むしろ入れ替えたほうがよいでしょう。きっちりふたのしまる容器で、混同しないよう、はっきり区別できるものにしましょう。

しょうゆ、酢など

●大きいサイズを買ってしまった場合には、調理に使いやすいように、小さなびんなどに小分けにしておくと便利です。

→つぎたしを続けると雑菌が繁殖するので、なくなるごとに洗いましょう。よく乾かして使います。

食卓に置く調味料

●食卓用に小分けにしている場合は、ついつぎたしがち。雑菌が繁殖するので、なくなるごとに、容器はよく洗って乾かしてから使います。

●特にしょうゆは、そのたびに冷蔵庫にしまったほうが、風味が落ちません。

配膳・盛りつけの基本

**料理は盛りつけと配膳にまで気を配ると、
見違えるほどおいしく感じられるもの。
覚えておきたい基本をまとめました。**

和食の基本は一汁三菜

献立作りの基本は、「一汁三菜」。ごはんと１つの汁、3 つのおかず（魚や肉などの主菜1品、野菜などの副菜 2 品）のことで、バランスのよい満足感のある献立になります。

★「ごはんは左、汁は右」が和の配膳の決まりです。間に副菜②（軽め）をはさんで、向こうに主菜と副菜①（やや重め）を置きます。
※主菜と副菜①の左右の位置は、上の写真とは逆になる場合もあります。

★主になる料理を引きたてるために添えるものを「あしらい」といいます。料理の上にのせるものが「天盛り」、前に添えるものが「前盛り」。料理に彩りを添え、味を引き立てる効果があります。旬の素材を使って季節感を出すことも。

［ごはんの盛りつけ］

炊きあがったら内釜全体を大きく混ぜ、ほぐします。2～3回に分けて茶碗の七～八分目くらいに盛り、形を軽く整えます。

※しゃもじにごはん粒がついたとき、茶碗のふちに押しつけてとるのは×。しゃもじはぬらしてから使うと、ごはん粒がつきにくくなります。

［汁ものの盛りつけ］

椀を手に持ち、おたまでよそいます。七～八分目くらいまで。

※椀を置き、鍋を持ってそそぐのはよくない。汁がこぼれやすく、見た目も危なっかしい。

汁ものに散らすねぎなどを「吸い口」といいます。ほのかな香りが食欲をそそります。

［あえものなどの盛りつけ］

①ボールの中であらかじめ人数分に分けます。形を整えます。

②ざっくりと器に盛ります。具のバランスを見ながら山高に形を整えます。

料理の上にのせる天盛りには、「この料理には、まだ誰も手をつけていません」という、おもてなしの心を表す意味もあります。

盛りつけのポイント①

〔人数分に分けてから〕
あらかじめ料理を人数分にざっと分けてから盛り始めると、手早くできます。

〔両手を使う〕
さい箸だけで盛りつけると、形がくずれたり、料理を落としたりしてしまうことに。手やスプーンなどを添えることで、手早くきれいに盛りつけられます。

〔冷たいものは冷たいうちに、熱いものは熱いうちに〕
料理をおいしく食べるための基本です。盛りつけるタイミングに気をつけましょう。器を冷やす、温めるというくふうもあるとよいでしょう。

［魚料理の盛りつけ］

一尾魚は、「頭が左、腹が手前」が原則です（かれいだけは頭が右）。

＊前盛りは器とのバランスを考えてやや右前に置くことが多いのですが、料理によっては主になる料理の前中央に置くことも。

切り身魚は魚の種類がわかるよう、皮側が上にくるように盛りつけます。

この場合は皮側を向こう。ふつう、身幅が広いほうが左ですが、おさまりのよい方向でOK。

盛りつけるときは、フライ返しなどを添えてとり出し、身がくずれないように気をつけます。

煮魚はスプーンで煮汁をかけ、照りよく仕上げます。身に煮汁をからめながら食べます。

［刺し身の盛りつけ］

①けん（だいこんのせん切りなど）は、水につけてシャキッとさせ、水気をよくきります。

②けんを器の奥に山高に盛ります。つま（しその葉など）は横に添えます。

③つまを支えにして、大きい素材から盛ります。立てた状態で少しずらしながら。

④奥から手前に向かって、だんだん低くなるように盛っていきます。

和食の盛りつけは、奇数盛りが基本。刺し身も3切れ、5切れの奇数単位で盛ります。数を分けにくかったり、バランスがくずれるようなら、こだわらなくても。わさびは山高にして。

［洋風おかずの盛りつけ］

＊洋食は、食卓でナイフを使って料理を切り分けながら食べるのが元々のマナー。そのため、切り分けやすいように、メインのおかずを、中央かやや手前に、つけ合わせを奥に盛るのが一般的です。

①つけ合わせは奥に盛ります。

②メインのおかずを、中央かやや手前に盛ります。

※各素材が離れすぎていてバランスが悪くなっています。

メインのおかずをより熱いうちに配膳できるように、先につけ合わせを盛る方法です。慣れないうちは、先にメインを盛ってから、つけ合わせを盛りつけてもOK。

［煮ものなどの盛りつけ］

素材別に盛る

①土台になりそうな具を奥に盛ります。形くずれしやすいものはスプーンを使っても。

②主になる素材は手前に、土台にもたせかけるように盛っていきます。

③青みとなる素材は、いちばん手前に盛ると彩りよくなります。

④煮汁は最後に。素材に照りが出るように、全体にまわしかけます。

混ぜ盛り

①スプーンやおたまなどで、ある程度の量をざっくりと盛ります

②具や色のバランスを見ながら、形を整えます。最後に煮汁をまわしかけます。

［パスタの盛りつけ］

①トングなどでざっくりと、丸を描くように盛ります。パスタの端がとび出していたら、中におさめます。

②ソースは、中央にのせます。
※大きめの具があるときは、バランスに気をつけます。

盛りつけのポイント②

〔彩りよく〕
料理がきれいに見える、赤・黄・青・黒・白の5色のバランスに気をつけます。特に、野菜などの青み（緑）は、配色のアクセントに。

〔立体的に〕
山高にこんもりと、立体的に盛ったほうがおいしそうに見えます。

〔器の3割は余白〕
量が多すぎるときれいに見えません。器の⅔くらいの量をめやすに盛りつけ、余白をとることも大切です。

キッチンの衛生と安全の基本

**料理では刃物や加熱器具を使うため、
うっかりすると、細菌感染、やけど、けがの危険も。
衛生的、かつ安全に料理をするための注意点をまとめました。**

調理前に気をつけること

時間がなかったり、慣れてくると、ついおろそかにしがち。でも、大切なことです。

[身じたくを整える]

長い髪はまとめる
※バンダナなどでおおうと、
「よし、やるぞ！」という気分に。

爪は短く切る
※指輪もはずします。指輪と
指の間に細菌がたまりやすい
ので、気をつけましょう。

**いつも清潔なエプロンを
身に着ける**

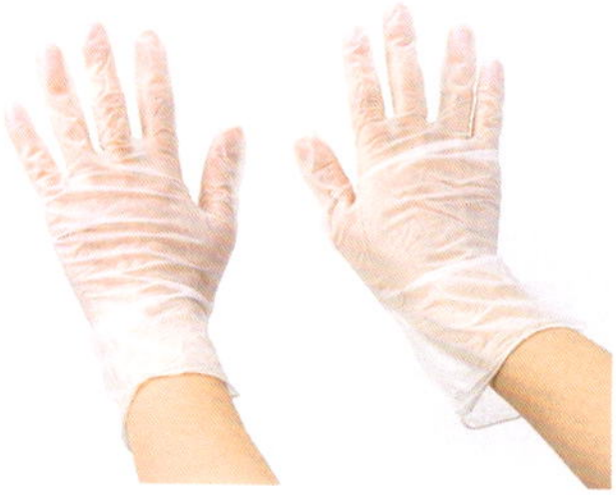

※けがをしているときは手袋を
手や指にけがをしているときは、人の手に常在する黄色ブドウ球菌が増えるので、なるべく調理をしないように。調理をするなら、ビニール手袋や指サックをします。そのときも手と同様に洗います（左下）。マニキュアやつけ爪をしているときも手袋をしましょう。

[手を洗う]

水だけでもある程度汚れは落ちますが、
石けんでていねいに洗います。

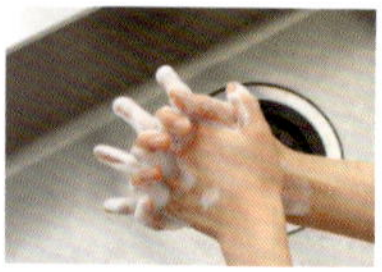

手を組むようにし、指の間もていねいに。

手首は握るように回しながら。

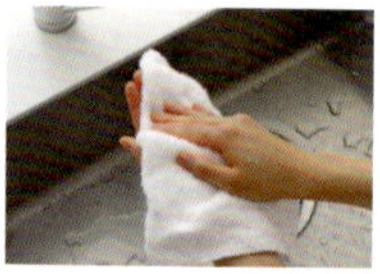

水でよく洗い流し、清潔なタオルでふきます。

※手荒れに注意
洗いすぎて手が荒れると、細菌がつきやすくなって逆効果。
皮膚を守っている皮脂膜がこわされるためです。

[洗剤を準備する]

※洗剤の使いすぎに注意
洗剤をたくさん使っても、洗浄効果があがるわけではありません。むしろ、手荒れや水質汚染の原因になってしまいます。

市販の洗剤は実は濃縮タイプのものがほとんどです。適宜うすめて使いましょう。

洗剤を直接スポンジにつけて使っていませんか？ 洗剤の使いすぎになりがちです。

調理中に気をつけること〔包丁・まな板〕

包丁・まな板には細菌がつきやすいので要注意です。

[まな板は使い分ける]

「加熱が必要な生の肉や魚」と「野菜や、加熱せずに食べられるもの」で、まな板を使い分けると衛生的。1つのまな板ですべての食材を切る場合は、「野菜→肉・魚」の順番で切る。

※まな板はぬらしてから使う

乾いたものを切るとき以外は、必ず水でぬらし、清潔なふきんでふいてから使います。汚れやにおいがしみこみにくくなり、さらに、洗ったときにとれやすくなります。

[安定よく置く]

調理台が狭い場合などに、流しの上にはみ出して置きがちですが、不安定で危険。

※まな板を物置き台にしない。

まな板の上にものをいろいろ置くのは、細菌感染のもと。切る道具と材料だけを置きます。

[使うたびに洗う]

生の肉や魚を切った包丁、まな板には細菌がついているので、さっと水で流すだけでは危険。洗剤できちんと洗います。野菜を切ったあとは、水で流すだけでもだいじょうぶ。

包丁の柄も忘れずに。手を切らないように注意します。

※皮むき器やキッチンばさみも忘れずに

刃をはさんで洗うときは、「ミネ（背）」のほうから。

[使い終わったら、洗ってすぐにしまう]

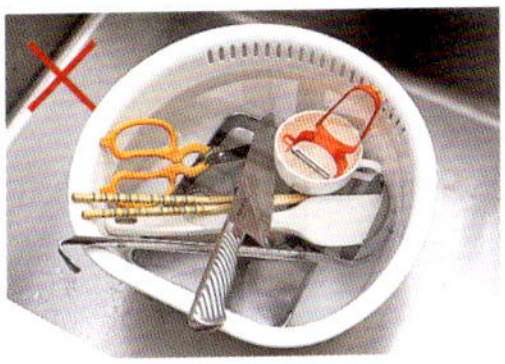

洗いおけや水きりかごの中に、刃物をほかのものと一緒に入れるのは、けがのもと。食器などにも傷がついてしまいます。

※まな板はまず水で洗う

肉や魚の汚れは、まず水で洗い流してから、洗剤で洗います。最初に湯をかけると、熱でたんぱく質が固まり、落ちにくくなります。

調理中に気をつけること〔鍋など〕

鍋などの扱いには、常に注意が必要です。

[鍋の柄は横向きに]

鍋を置くときは、隣のガスの炎がかからない、安全な側に向けます。

調理台から柄がはみ出していると、体にひっかける危険があります。

複数のコンロを使うときも柄の向きに気をつけましょう。

[やかんの持ち手は立てる]

「じゃまにならないように」と、やかんの持ち手を寝かせると、かえって危険です。持ち手が熱くなり、やけどの原因に。

[汚れはすぐにふく]

油はねなどの汚れは、すぐにふきます。熱いうちなら汚れもかんたんに落ちます。

[鍋をつかむときは乾いた布で]

鍋つかみの代わりにふきんなどを使うときは、必ず乾いた布で。ぬれた布は熱が伝わりやすく、熱くなって鍋を落としてしまう危険があります。

[まわりにものを置かない]「ほんの少しの間だけ…」と思っても危険です。

火のまわりに、ふきんなどの燃えやすいものを置くのは危険です。

ふたの上に、鍋つかみなどを置いたままにするのは危険です。ふたからはみ出して、燃えてしまうことがあります。

おたまなどを入れっぱなしで加熱すると、プラスチック製の柄が溶けたり、金属製の柄が熱くなったりします。

グリルの使用時は、吹き出し口が熱くなります。上に金属製のふたやトレー、ボールなどを置くと熱くなり、やけどの原因に。

かたづけで気をつけること

次のときに気持ちよく使えるように、きちんと手入れします。

[まな板]

よくこすって洗う

表面の細かい傷などに汚れが残らないように、よくこすって洗います。

洗ったあと、さっと熱湯をかけると消毒になり、乾きも早くなります。

水気をふきとり、風通しのよい場所で乾かします。

※ふせたり、重ねたりして乾かすと、乾燥しにくく、黒ずみ（かび）の原因になります。

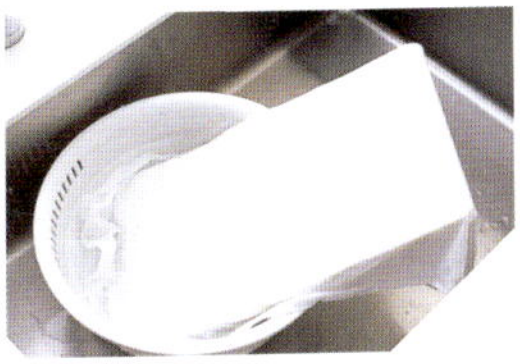

月に一度は漂白・除菌

漂白剤を薄めた液につけます。液にひたしたふきんに包んで入れると、ふきんを伝って、外に出ている部分も漂白できます。

[加熱器具]

グリルは使用のつど洗う

ガス台も忘れずに

※ガスの栓を閉めてから掃除します。油かすなどが残っていると、発火の原因になって危険です。

[ふきん・その他]

ふきんは毎日洗う

毎日、石けんや台所用洗剤で洗い、よくすすいで乾かします。

しみや黄ばみは漂白・除菌

漂白剤をうすめた液につけて、漂白・除菌をします。

※一度使ったふきんは、きれいに見えても細菌が増えています。水でゆすぐだけで、何度も使うのはやめましょう。

＊洗濯機で洗うときは、ほかの洗濯物と分けて洗います。

スポンジの洗剤はすすぐ

洗剤が残っていると、洗剤を好む菌の栄養になり、細菌が増える原因になります。よくすすいで水気をきり、乾燥させます。

流しも洗う

掃除用のスポンジで、流しのすみや水道の蛇口も洗います。最後に水気をふくと、ステンレスがくもらず、ゴキブリ対策にも効果的。

索引

【調理用語から引く索引】

あ　アク　48・86・129・133・209・211
味見　65
油抜き　36・111
甘酢　94
あら熱がとれる　83
あらみじん　118・205
石づき　64
一番だし　135
1片（にんにく）　22・42・59・160・198
いちょう切り　141・203
落としぶた　51・53・87・89
（魚の）表　99・103
か　（なすの）がく　48
飾り切り　158
空気を抜く（ハンバーグ）　157
くし形　75・189・204
（えびの）剣先　180
ごまよごし　33
小口切り　25・45・82・204
さ　（調味料の）さしすせそ　53
サフラン　184
三杯酢　24
下味　112
尺塩（しゃくじお）　98
（塩）少々　59
しょうゆ洗い　31・33
（ささみの）筋　65（えんどうの）筋　86
筋切り　172
砂抜き（砂出し）　44・132
（えびの）背わた　180・186
せん切り　48・174・203
繊維に平行に（そって）切る　57・150・202
そぎ切り　106・204
染めおろし　99
た　だし　31・35・85・104・108・192
タルタルソース　179
たんざく切り　111・204
つけじょうゆ　19
強火の遠火　98
適量　21・166・170・176
手ばかり　36・78・144・198
な　鍋肌　115
ナツメグ　154
（いかの）軟骨　187
煮えばな　133
二杯酢　24
二番だし　135
は　半月切り　60・70・203
（もやしの）ひげ根　144
びっくり水　125
ひと煮立ち　20
1枝（パセリ）　42
1かけ（しょうが）73・89・160・198
1腹（たらこ）　127
ひねりごま　24
（なすの）へた　48
ま　前盛り　95・218
みじん切り25・114・156・185・205
（包丁の）ミネ　56
無洗米　183・200
ムニエル　100
（じゃがいもの）芽　83・86
（にんにくの）芽　119・151
面とり　52
もみじおろし　20
や　（トマトの）湯むき　141
予熱　98

【食品から引く索引】

<野菜>

あ　アボカド　39・41
いちょういも　39
枝豆　27
えのきだけ　63
エリンギ　77

か　かいわれだいこん　89
かぶ　93　かぶの葉　35
かぼちゃ　51
キャベツ　69・139・161・171・206
きゅうり　23・81・206
グリーンアスパラガス　59・206
ごぼう　55
こまつな　31・35・135

さ　サラダ菜　73・167・177・207
しその葉　47・127・207
しめじ　59・101・109・189
じゃがいも　81・85・139・208
しゅんぎく　31・135
しょうが　73・85・89・117・149
161・167・189・207
すだち　97
スナップえんどう　85

た　だいこん　19・97・123・207
(ゆで)たけのこ　109・149・206
たまねぎ　41・59・77・81・85
105・117・139・155
178・183・189・208
トマト　73・119・206

な　長いも　39
なめこ　123
なす　47・206
にら　143・161
にんじん　55・69・109
117・139・171
にんにく　23・43・59・117
149・161・183・208
ねぎ　113・121・143・161・207

は　パセリ　43・178
パプリカ　148
万能ねぎ　43・47・123・131
ピーマン　69・149・183・189
ブロッコリー　77・207
ほうれんそう　31

ま　みず菜　35
みつば　63・105
ミニトマト　59・101・139
もやし　143・207

ら　ラディッシュ　155
レタス　73・113・119・207
レモン　59・97・101
167・177・183

<魚貝・海藻・乾物>

いか　183
いかのわた　189
生さけ(切り身)　101
さば(切り身)　89
さんま　97
ぶり(切り身)　93
ほたて貝柱(刺し身用)　59
まぐろ(刺し身用)　39・41
えび　177・183
たらこ　127
ちりめんじゃこ　47
あさり　43・183
しじみ　131
わかめ　135
(芽)ひじき　109
のり　105・127

<肉・卵・ハムなど加工品>

とりささみ　63
とりもも肉　77・105・109
とりもも肉(から揚げ用)　167
豚肉(しょうが焼き用)　73
豚ばら・もも肉(薄切り)　117
豚ばら肉（かたまり）　143
豚肉(こま切れ)　85
豚ロース肉(とんカツ用)　171
豚ヒレ肉　171
豚ひき肉　161
牛肉(切り落とし)　85
牛肉(薄切り)　113
牛もも肉(焼き肉用)　149
牛ひき肉　155
合びき肉　155
卵　69・81・105・113・143
155・171・177・178
ベーコン　69・139
ロースハム　81

<とうふ・大豆加工品>

とうふ　19・143
油揚げ　35・109・123

<その他>

はくさいキムチ　143
チーズ(ピザ用)　77
トマト水煮缶詰　183
しらたき(糸こんにゃく)　85
うどん　121
そば　123
スパゲティ　127
インスタントラーメン　143
焼き麸　135

ベターホームのお料理教室なら
“すぐに役立ち、一生使える”料理力をつけることができます

ベターホームのお料理教室

ベターホーム協会は1963年に創立。「心ゆたかな質の高い暮らし」をめざし、日本の家庭料理や暮らしの知恵を、生活者の立場からお伝えしています。活動の中心である「ベターホームのお料理教室」は全国で開催。毎日の食事作りに役立つ調理の知恵、健やかに快適に暮らすための知識などを、わかりやすく教えています。

<お料理教室の問い合わせ/パンフレットのご請求>
TEL 03-3407-0471
ホームページ http://www.betterhome.jp

世界でいちばんやさしい料理教室〔改訂版〕

監修&料理研究 —— ベターホーム協会（浜村ゆみ子、P.192～225監修：堀江雅子）
撮影 —— 大井一範
アートディレクション&デザイン（P.190～225を除く） —— 新井 崇（CASH G.D.）
イラスト —— 多田玲子
としなり ゆき
スタイリング協力 —— 青野康子
校正協力 —— ペーパーハウス

初版発行　2017年2月15日
2刷　2021年1月10日
※2008年発行『世界でいちばんやさしい料理教室』に加筆・修正しました。

編集・発行　ベターホーム協会
〒150-8363
東京都渋谷区渋谷2-20-12渋谷日永ビル3・4F
〔編集〕☎03-3407-0471　〔出版営業〕☎03-3407-4871　ISBN978-4-86586-031-3